全学連がイス　　デモ（2023年11月８日、東京・虎ノ門）

イスラ　　に虐殺を許すな！
〈プーチンの戦争〉を打ち砕け！

首都圏の労学が大軍拡・改憲阻止、ウクライナ反戦の闘争に勇躍決起（10月15日、東京）

暗黒世界浪裏転覆之圖
ユダヤ人の社会的解放は
ユダヤ教からの社会の解放である
スターリン主義を打倒せよ！
拒否権
拒否権
干しシイタケはマツタケに弱い
割れる！
パー券
産業報国
STOP THE GENOCIDE
IN GAZA
岸田政権打倒！
改憲・大軍拡を許すな
革マル派
パレスチナ人民の
大虐殺を許すな！
24春闘勝利
大幅一律賃上げ獲得
全学連
反戦

『解放』二〇二四年新年号掲載

11・23沖縄県民平和大集会で闘う学生が奮闘（那覇市・奥武山公園）

首相官邸前で全学連が「岸田政権打倒！」の怒りのシュプレヒコール（12月13日）

首都圏の闘う学生が「ガザ人民大虐殺弾劾」「国立大学法人法改悪阻止」の拳（12月10日、国会前）

新世紀

第 329 号（2024年 3 月）

The Communist

帝国主義打倒！

スターリン主義打倒！

万国の労働者団結せよ！

2024年3月　No.329　目次

新世紀

日本革命的共産主義者同盟 革命的マルクス主義派 機関誌

暗黒の世界を革命的に転覆せよ
反帝・反スターリン主義の旗高く前進せん！

二〇二四年の劈頭にあたって、革共同革マル派は、日本の・そして全世界の労働者階級・人民に訴える。

いまこのとき、パレスチナにおいて、イスラエルのネタニヤフ政権が、ガザ自治区を人民もろともに抹殺するための凄惨なジェノサイドに狂奔している。すでに二万人ものガザ人民が虐殺された。この人非人どもは、病院や学校やモスクなどを「ハマスの拠点」とでっちあげ、病人や子どもや老人を無差別に殺戮している。シオニスト国家によるこの狂気の人民大殺戮を断じて許すな！

アメリカ・バイデン政権はこのイスラエルを全面的に支援し、それをも理由にしてウクライナへの支援を縮小しつつある。他方、ロシアの〝皇帝〟プーチンは、米欧の権力者どもがネタニヤフ政権によるガザ軍事攻撃を支持しウクライナ支援を縮小しているという事態をまえにして、「ロシア帝国＝ソ連邦の版図復活」の野望をむきだしにし、ウクライナ人民に襲いかかろうとしている。この悪逆無道の〈プーチンの戦争＞を、全世界人民の闘いで断固としてうち砕け！

また、ここ東アジアにおいては、北朝鮮・金正恩政権による核開発とミサイル発射、習近平・中国の台湾海峡・南シナ海における強硬な軍事行動を引き金として、＜米・日・韓＞と＜中・露・朝＞の軍隊が準臨戦態勢をとって対峙し、まさに一触即発の戦争的危機が深まっているのだ。

すべての諸君。プーチンの暴虐をうち砕き、ネタニヤフのジェノサイドを阻止するために、そして東アジアにおける熱核戦争勃発を阻止するために、いまこそわれわれは労働者階級・人民の強力な階級的反撃を組織するのでなくてはならない。

昨二〇二三年の一年間、わが革命的左翼は、＜プーチンの戦争＞をうち砕くウクライナ反戦闘争、イスラエルによるガザ侵略を弾劾する反戦闘争、岸田政権による大軍拡・改憲攻撃を阻止する闘いなどを、既成指導部の闘争放棄をのりこえて果敢に推進してきた。労働戦線のたたかう仲間たちは、「連合」労働貴族を弾劾しながら大幅一律賃上げ獲得・首切り反対などの闘いを下から創意的につくりだした。全学連の革命的学生たちは、愛知大学自治会などにたいする大学当局・国家権力の憎悪に満ちた破壊攻撃に反撃しつつ、ネオ・ファシズム的な大学再編に反対する教育政治闘争を、反戦反安保闘争とともにたたかいぬいてきた。日本共産党などの既成左翼の完全なる闘争放棄を弾劾しのりこえて、わが革命的左翼は、総力をあげてこれらの闘いをたたかってきたのだ。

すべての諸君！

全世界の労働者・人民に、この戦争とネオ・ファシズムに覆われた暗黒の世界を根底から突破していく道をしめし領導しうるのは、ひとり＜反帝国主義・反スターリン主義＞の世界革命戦略で武装したわが革共同革マル派と革命的労働者・学生だけなのだ。＜プーチンの戦争＞を、イスラエルによるガザ人民大虐殺をうち砕け！　権力者どもによる強権支配と貧困の強制をはねかえせ！　もってプロレタリア世界革命の新時代を切り拓くために、いまこそ決意も固く新たな闘いにうってでようではないか！

Ⅰ　戦争とファシズムが荒れ狂う現代世界

Ａ　戦争と圧政と人民大虐殺

ガザ抹殺を狙うシオニスト権力のジェノサイド

イスラエル・ネタニヤフ政権が、「ハマス根絶」を掲げてガザ自治区にたいする凶暴な軍事侵略を開始してから二ヵ月余。シオニストの軍隊は、「パレスチナ人は動物だ」と叫びたて、ハマスの拠点とみなしたガザ地区の人民を文字どおり「根絶やし」にするための大虐殺に現にいま狂奔している。四方八方を戦車と軍部隊でとり囲み、避難キャンプに閉じこめた民衆に向かって、集中的にミサイルと砲弾をぶちこんでいる。イスラエル軍は、巨大な地下トンネル網を移動しゲリラ戦を敢行しているハマスを皆殺しにするために海水を流しこんで〝水攻め〟にするという狂気の攻撃を開始した。ネタニヤフ政権の内部からは「核兵器を使う」という発言さえ飛び出している。〝神がユダヤ人に与えた土地からパレスチナ（アラブ）人を一掃する〟――このような妄念にとり憑かれて、まさしくパレスチナ人民の絶滅に突進しているのが、狂信的シオニストどもからなるネタニヤフ政権なのだ。

このシオニスト権力者によるジェノサイドを全面的に支援しているのが、バイデンのアメリカである。バイデン政権は、ガザ人民に襲いかかるネタニヤフ政権を「イスラエルの自衛権」の名のもとに擁護し、砲弾やミサイルなどの軍事援助を加速している。イランを後ろ盾とするシーア派武装勢力（レバノンのヒズボラとイエメンのフーシ派）の対イスラエル・対米軍基地の軍事攻撃に対抗し、二つの空母打撃部隊を中東周辺に急派してイスラエルを防衛している。そして国連安保理での「即時停戦」決議を二度にわたって拒否権を発動して葬りさった。これこそは、アメリカの唱える「自由・人権・民主主義」の虚偽性を、自己暴露するものにほかならない。

アメリカ帝国主義に支えられたネタニヤフ政権によるガザ人民の大殺戮を許すな！

これにたいしていま、世界中でムスリムをはじめとする人民の反米・反シオニズムの闘争が激しく燃え広がっている。このバイデン政権の国際的孤立とウクライナ支援の縮小にほくそ笑みながら、ウクライナ人民の血にまみれた手をおしかくして「即時停戦」に唱和しているのが、殺戮者プーチンなのだ。

目　次

ウクライナの占領拡大に狂奔するプーチン

プーチンはいま、ウクライナのエネルギー関連インフラや住宅に巡航ミサイルや自爆型ドローンを雨あられとぶちこんで破壊し、極寒のなかにウクライナ人民をさらそうとしている。そして占領地域をさらに拡大するために、アウディーイウカなどの要衝に人海戦術で攻撃を集中している。

米・欧の権力者が対ウクライナ軍事支援をうちきろうとしている。ウクライナ軍の武器・弾薬不足が一段と加速すると計算したプーチンは、いまウクライナをロシア連邦のもとに組みこむ策動を一段と強化している。大統領選挙への出馬を表明した記者会見において、この小皇帝は「ウクライナの非ナチ化・非軍事化が目標だ」とくりかえしただけでなく、「オデッサはロシアの町だ」と傲然とほざいた。「大ロシア復活」の野望をたぎらせてウクライナ人民に襲いかかっている戦争狂のプーチンを、われわれは断じて許してはならない。

バイデンのアメリカは、「イスラエルへの軍事支援の拡大」を理由にしてウクライナへの支援を急速に縮小しうちきろうとしている。ゼレンスキーが訪米して「軍事支援の継続・拡大」を訴えても、議会内共和党はそれを冷淡に拒んだ(二〇二三年十二月十二日)。「トランプの党」と化している共和党は、「自国の移民流入対策のほうが優先だ」と喚きたて、ウクライナ支援予算の成立をストップしつづけている。二三年内に支援の政府財源が枯渇する、という事態にたちいたっていたのだ。

もとよりバイデンそのひとが、自国への核報復を恐れて、「プーチンには勝たせはしないが、政権が倒れるほどに打ち負かしはしない」という帝国主義権力者としての打算にもとづいて、軍事支援の量・質とテンポをコントロールしてきた。〝負けない程度〟の軍事支援に終始してきたのである。

ヨーロッパでは、ウクライナ支援の先頭に立ってきたオランダで十一月に極右自由党が総選挙で勝利した。スロバキアでも、ウクライナ支援に反対する社会民主主義の党が政権についた。さらにプーチンの盟友であるハンガリーのオルバンが支援継続に強硬に反対している。

このようななかで、ウクライナ軍は、圧倒的な航空戦力と数十倍の量の砲弾・ミサイルで反撃してくる侵略ロシア軍のまえに、そしてまた人間を〝肉弾〟にして突撃させるロシア軍の――スターリンの「大祖国戦争」以来の――人非人的な人海戦術に、苦しめられている。

このかんの敗勢と身内からの反乱(「ワグネルの乱」)で断崖絶壁まで追いつめられていたプーチンは、「ウクライナ支援疲れ」を露骨に表わしつつある米・欧諸国権力者の動きをまえにして、占領地域をさらに拡げるために、ウクライナ人民に襲いかかろうとしているのだ。

このプーチンの暴虐にたいして、ウクライナの兵士と労働者・人民は、多くの犠牲を強いられながらも、「ロシアにウクライナを渡さない」という固い決意のもとに不屈にたたかいぬいている。

われわれ全世界の労働者階級は、ウクライナの労働者・人民を絶対に孤立させてはならない。いまこそ〈プーチンの戦争〉をうち砕く反戦闘争を全世界で巻き起こすために奮闘しようではないか！

朝鮮半島・台湾をめぐる戦争的危機

いま東アジアにおいては、金正恩の北朝鮮がロケット発射などの軍事的挑戦を激化させており、米・日・韓・台湾と中国・ロシア・北朝鮮のあいだの軍事的緊張が一気に高まっている。

北朝鮮の金正恩政権は、プーチン・ロシアの技術支援に支えられつつ、ＩＣＢＭ発射に転用可能なロケットで軍事偵察衛星をうちあげた。

この北朝鮮の軍事的挑戦にたいして、韓国・尹錫悦政権は、ただちに軍事偵察衛星の打ち上げで応えるとともに、文在寅政権時代にとりかわした南北合意を破棄し、軍事境界線周辺での軍事パトロールを再開した。米軍は、すでに核（ＳＬＢＭ）搭載の原潜や原子力空母を釜山港に頻繁に寄港させ、米・日・韓の大規模共同演習をくりひろげるなど、対北朝鮮の準臨戦態勢をとっている。

先制的核使用を前提とした「核戦力政策」を公然とうちだし、ロシアの技術援助を得て核兵器とミサイルの開発に突進している北朝鮮。これにたいして韓国とアメリカは、前方配備している核戦力を見せつける（「可視化」）という軍事戦略を採って対抗している。米・中・露・北朝鮮などの各国はいま、「使える核兵器」と称する戦術核兵器の開発に狂奔している。

中国の習近平政権は、アメリカがウクライナ・中東・東アジアの「三正面」に対応することができない窮状をさらけだしているなかで、ますます台湾の併呑への体制を築きあげ、南シナ海の制海権確保に向けての軍事行動を強化している。

こうしていま台湾・南シナ海においても朝鮮半島においても、一触即発の核戦争勃発の危機が高まっているのだ。

人民への貧困・飢餓の強制

プーチンは、「世界の穀倉」たるウクライナの農地を破壊し農業生産に壊滅的な打撃を与えたうえに、ウクライナ産の穀物輸出を軍事的手段で妨害してきた。この食糧危機にくわえてエネルギー価格の上昇と帝国主義各国を襲うインフレーションとが相乗して、アフリカなどの途上国の民衆は、さらなる食糧難と貧困を強いられている。

スターリニスト・ソ連邦の崩壊いご、三十年間にわたってアメリカ帝国主義が世界におしつけてきた「経済のグローバライゼーション」（新自由主義改革）によって、新興諸国や途上諸国の人民は、凄まじい貧困と環境破壊を押しつけられてきた。そしていま、ロシアのウクライナ侵略がもたらした原油や穀物の価格高騰によって、多くの人民が餓死を強いられているのである。

しかもいま、化石燃料の大量消費を主要因とする地球温暖化がもたらす気候異常のゆえに、世界中で夥しい数の人民が生活を破壊され生命を奪われている。熱波、山火事、砂漠化。洪水と干ばつ。スーパー台風やハリケーンの頻発。北極・南極の氷の融解による海水面の上昇。――このような急速な地球温暖化は、それじたいが、帝国主義諸国の軍需生産の拡大と国家独占資本主義の金融・財政政策に媒介された大量生産・大量消費・大量廃棄の経済・社会の形成、そしてこれに対抗してのスターリン主義諸国による軍事第一主義的で生産力主義的な政策にもとづく重工業化（化石燃料を大量消費したそれ）や乱開発の結果である。

帝国主義とネオ・スターリン主義の権力者どもは、途上国からの気候変動対策・温暖化対策への支援要請などは足蹴にして、みずからは石油・石炭の商戦に血道をあげ、原子力発電所の増設・売り込みに狂奔している。ＵＡＥで開かれたＣＯＰ28（気候変動枠組み条約締約国会議）では、産油国などの主張をとり入れて「化石燃料の廃止」という言葉が抹消され、「脱却」に書き換えられた。また、「温暖化防止」を口実にして原子力発電の設備容量を従来の三倍にするという狂気の合意がいくつかの国の談合によってなされた。東電福島第一原発の燃料デブリ回収・廃炉の展望も立たず、放射性廃棄物の処理技術もまったく確立していないなかで、この合意に先頭で賛成したのが、日本の岸田政権なのだ！

ソ連邦の崩壊から三十二年。米―中・露の権力者どもの激突と彼らによる侵略と収奪のもとで、まさに現代世界は、あらゆる意味で〝人類滅亡の危機〟に立たされている！　全世界の労働者・人民に塗炭の苦しみを強制しているこの帝国主義とネオ・スターリン主義の暴虐をうち砕くために、〈反帝国主義・反スターリン主義〉の旗のもと、われわれはさらに飛躍し前進しなければならない。

B　米―中・露激突下の二〇二四年世界

軍国主義帝国アメリカの凋落

ソ連邦崩壊以降に世界の覇権を握ってきた軍国主義帝国アメリカは、いまや「世界の孤児」へと転落しその凋落は日に日にあらわとなっている。

アメリカ大統領バイデンは、中東唯一の拠点たるイスラエルを護持するために、サウジアラビアとUAEなどへの軍事援助をエサにしてアラブ諸国とイスラエルとの関係回復をお膳立てしてきた。だがこのバイデンの追求は、ハマスの二〇二三年10・7武装決起によって完全に頓挫した。

これに直面したバイデン政権は、「ハマス殲滅」を叫び狂気のジェノサイドに突進するイスラエル・ネタニヤフ政権をあくまでも支援し擁護している。アメリカ政府は、国連事務総長グテーレスの要請にもとづいて提案された「即時停戦要求」決議(十二月八日)にたいして、またしても拒否権を行使してそれを葬りさったのだ！　こうしたアメリカ帝国主義権力者の対応は全世界の人民の猛反発にさらされ、国際政治場裡における孤立化をみずから招来している。

来たるアメリカ大統領選挙に向けて、トランプに対抗してユダヤ・ロビーやキリスト教福音派の票を獲得するためにバイデンがおこなったこの露骨なイスラエル支援は、国内においては、民主党が基盤としてきたリベラル派（ユダヤ系を含む）や青年層や非白人層の離反を促進している。虐殺者ネタニヤフに抱きつくことによって支持基盤をみずから掘り崩し、急速にレイムダック状態に陥りつつあるのが、バイデンなのだ。

このようなバイデンの窮地につけこんで、「MAGA(Make America Great Again)」を絶叫する排外主義者トランプが、大統領の座を奪還するために「難民排斥」などの極右のキャンペーンに狂奔している。今年の十一月に予定されている米大統領選挙に向けて、共和・民主両陣営が相互に政治的スキャンダルの暴露と政治的謀略・非難を応酬している。このことにしめされるように「アメリカ民主主義」なるものを鼓吹したとしても大統領選挙ひとつまともに実施することもできないほどまでに落ちぶれた姿をさらしているのが、こんにちのアメリカなのだ。まさにそれは、軍国主義帝国の最後的没落を世界に向かって告知するものにほかならない。

世界の覇権をアメリカから奪いとろうとする習近平・中国にたいしてアメリカ帝国主義は、独力でこれを封じこめる力を喪失して久しい。このゆえにバイデン政権は、自国の「力」の低下を日本・オーストラリア・韓国・イギリスなどの同盟諸国の軍事力・経済力・技術力を総動員して補完するという「統合抑止」戦略にもとづいて、対中軍事包囲網の強化に血道をあげている。西のNATOと双璧をなすものとして、米英豪のAUKUS・日米安保・米韓同盟などを重層的に束ねた〝アジア太平洋版NATO〟というべき対中国（ロシア）の多国間軍事同盟をつくりだすことに、バイデン政権は血道をあげているのである。

今日のアメリカ帝国主義経済の「復活」は、もっぱらシリコンバレーのICT産業（GAFAMなどのそれ）と金融サービス業が牽引しているそれであって、アメリカ伝統の製造業は錆びついたままである。リーマン・ショック後に労働者の賃金を徹底的に切り下げる二層賃金制などの導入で「V字回復」を遂げたのが自動車産業であるが、この自動車独占体の経営者にたいして一ヵ月半におよぶ波状的な大ストライキ闘争を展開して大幅賃上げを獲得したのが、執行部を刷新したUAW(全米自動車労組)の労働者たちであった。

バイデン政権はいま、この国内製造業の空洞化を放置することが習近平・中国による〝経済覇権・技術覇権〟の奪取を許すことになる、という危機感をつのらせて、「製造業の国内回帰」の旗をふっている。アメリカが唱えてきた「自由貿易ルール」などはかなぐり捨てて、国内製造業独占体にたいする巨額の補助金供与をおこなうと同時に、ハイテク分野での強烈な対中貿易規制・技術移転規制に狂奔している。とりわけ軍事と直結したAIや量子技術や5Gの開発に不可欠な最先端半導体――その生産拠点は台湾をはじめとする東アジアに集中している（シェア九〇％）――にかんしては、中国によるその自力生産を阻止するためになりふりかまわぬ規制措置をうちだすとともに、日・韓・台・オランダなどの同盟国政府・諸企業を巻きこんでの中国排除のサプライチェーン再構築に突進しているのだ。それとともに、なによりも「半導体の宝島」たる台湾を中国に（香港のように）奪われないための軍事的・政治的・経済的なテコ入れに必死になっているのだ。こうして台湾をも焦点とした米・中の半導体戦争の激烈化は、それじたいが両国間の軍事的緊張を促進し倍加させているのである。

経済危機に揺らぐネオ・スターリン主義中国

習近平の中国は、このかん「世界一の総合国力をもつ社会主義現代化強国建設」の国家戦略を掲げて、アメリカから世界の覇権を奪いとるために、核軍事力の飛躍的増強と西太平洋における制海権の奪取、「一帯一路」と称する中国中心の経済圏の構築に狂奔してきた。

習近平政権は、「台湾統一」をあくまでも「核心的利益中の核心」であると宣言しつつ、「十段線」まで拡げた領海図を誇示して南シナ海・東シナ海・西太平洋での〝領海拡張〟の実力行動を、米・日・韓・豪・比などの連合軍に対峙してくりかえし強行している。そしてバイデンのアメリカにたいして、「米・中が共存できるほど地球は広い」などとうそぶき、中国を「超大国」として認めよ、と傲然と迫っているのだ。

ウクライナへの軍事侵略を強行したプーチン・ロシアにたいして警戒心をつのらせロシア離れの動きをしめしている旧ソ連中央アジア諸国。これらの諸国をば、習近平指導部はみずからの〝属国〟として囲いこむための追求を強化している。そして台湾と国交を結んでいた太平洋島嶼や中南米などの諸国に、インフラ建設への援助や軍事や警察力の援助などを手段にして「国交断絶」を迫り、次々に親中国派へと寝返らせてきた。

けれども、「一帯一路」構想にもとづいて彼らがおしすすめてきた中国主導の経済圏の形成じたいが、いまや暗礁に乗りあげている。

返済不能な巨額の借款を与え、それをエサにして当地の重要インフラを中国の国家・企業の支配下に置いたり中国軍の基地や軍港として接収するという悪らつなやり方――いわゆる「債務の罠」――、これを非難し政治的巻き返しをはかるバイデン政権の策動をも要因として、中国依存を深めてきた各国の内部に動揺が走り、「離脱派」が台頭しつつある。コンテ政権時代に習近平の甘言にのせられてG７で唯一の「一帯一路」への参加国となったイタリア、そのメローニ新政権は、「中国との貿易赤字が拡大しただけで、なんのプラスもなかった」と語って正式に離脱を通告した。習近平が「構想十周年」を期して十月に北京で開催した「一帯一路フォーラム」は、ヨーロッパをはじめとして首脳級の参加者が激減しただけでなく、「共同声明」さえ出すことができない、という惨めな結果に終わった。

こうした事態は、「一帯一路」参加国への投資・資金供与を中国が激減させたことを直接の契機としている。そして、それは中国の国内経済の危機に決定されている。不動産バブルが弾けて以降、地方政府による莫大な融資と投資によってタワーマンションを競いあって建設してきた不動産会社・建設会社は次々と債務を焦げつかせ、債権者たる地方政府じたいの財政が破綻しつつある。いまや上海・深圳・鄭州などでは「鬼城」(廃墟と化したタワー)が林立している。そしてアメリカによるハイテク産業の成長は急激な先端半導体などの貿易規制の直撃を受けて、ハイテク産業の成長は急激に鈍化している。米・中対立の激化のもとでの「供給攪乱リスクの高まり」を理由にして、これまで中国を最大の製造拠点としてきた米・欧・日などの多国籍企業は、こぞってアジア本社をシンガポールなどに移し、工場をインドや東南アジアに移している。

　こうしてGDP成長率は政府の水増し発表でも四・九%(七~九月)に落ち、若者の失業率は二〇%をはるかに超えた。貧富の格差は絶望的にまで拡大し、困窮を強いられた人民の怨嗟と怒りが充満している。

　国有企業のみならず民営企業の管理・経営権を共産党組織を実体的基礎として掌握し、そうすることによってこれらの企業から莫大な利益を吸い上げてきたネオ・スターリニスト官僚と官僚資本家ども、そのなかには汚職と腐敗が蔓延している。習近平じしんが抜擢した外相と国防相の相次ぐ解任こそは、この底知れぬ腐敗の一端をしめすものにほかならない。いまや「習近平一強体制」じたいがその内部から揺らいでいるのだ。習近平を批判しようとして無理やり「引退」させられた前首相・李克強の謎の死は、共産党内部における暗闘の激化を告げ知らせるものにほかならない。

　ソ連邦の崩壊を〝他山の石〟とし、「資本主義を恐れることなく利用せよ」という鄧小平の遺訓にもとづいて、ネオ・スターリニスト党専制体制のもとでの「社会主義市場経済」化をおしすすめてきた中国。この「社会主義市場経済」なるものの矛盾がいまや一挙的に噴出し、労働者・農民工・農民はその犠牲を転嫁されて塗炭の苦しみを強いられているのだ。怒れる民衆は、あらゆるところでその不満や怒りを表出している。まさにそれゆえにネオ・スターリニスト専制権力は、これを抑えこむために、——香港やウイグルのように——町や村の隅々に監視カメラを敷設しAIを使った個人認証技術で一四億人民を監視し、「危険分子」とみたてた人民を片っ端から拘束し隔離するという強権的な治安弾圧に狂奔している。

まさしく「社会主義現代化強国の建設」という国家戦略の破綻に逢着しているのが、ネオ・スターリン主義中国なのだ。

「大ロシア帝国再興」への突進

この習近平・中国に経済制裁下の窮状を打開するための経済援助(およびハイテク部品の迂回輸出というかたちでの間接的な軍事援助)を求めるとともに、金正恩の北朝鮮に武器・弾薬の供給を頼みこみつつ、ウクライナ侵略から二年目の現局面をのりきろうとしているのが、プーチンのロシアなのだ。

プーチンは、今年の大統領選挙で「圧倒的勝利」の茶番を演出しつつ権力の座に居座るために、ウクライナ東部の占領地域の拡大を軍に厳命している。そして次期アメリカ大統領選挙で、ウクライナ支援に反対するトランプを勝たせるための汚い情報戦(SNSなどを使ったフェイク情報の撒布)やサイバー戦を開始している。

ロシアは、西側の経済制裁を、石油・ガスの中国やインドへの輸出や中東産油国経由の迂回輸出によってのりきりをはかってきた。ソ連時代以来の軍事偏重の奇形的産業構造をひきつぐ軍需産業だけがウクライナ侵略戦争遂行のためにフル稼働しており、砲弾やドローンなどの兵器の量産でオリガルヒどもはボロ儲けしている。だが、青年層の大量の国外脱出による技術労働者の不足や西側によるハイテク部品の禁輸などによって、とりわけハイテク産業は機能停止に陥っているのだ。

このような経済的苦境をのりきるためにプーチン政権は、欧・米帝国主義が撤退して政治的空白地帯となった西アフリカ諸国に兵隊（ワグネルの残党を含む）と兵器を提供して、金やコバルトなどの稀少資源を奪いとっているのだ。

ウクライナへの侵略で〝アメリカは介入しない・できない〟ということを確信にまで高めたこの小皇帝プーチンは、モルドバやグルジア（現ジョージア）などの旧ソ連構成諸国に次の狙いを定めている。さらにはバルカンの旧ユーゴスラビア親米諸国にたいしても、それを籠絡することを企んでいるのだ。

「ピョートル大帝の再来」を自任するとともに「大ロシア帝国の再興」の野望にとりつかれているプーチンは、旧ソ連の諸地域をロシア連邦の勢力圏に組みこむために盲進しているのである。

「グローバルサウス」の米・中〝二股外交〟

米―中・露の激突下で世界が新たな戦乱に叩きこまれるなかで飢餓と食糧難に苦しむ〈南〉の国々は、超大国の横暴に反発しつつ、〝貧しい国としての共通利害〟を主張しながら、いわゆる「グローバルサウス」としてゆるやかに結束しつつある。そしてこの「グローバルサウスのリーダー」を自任するインド、ブラジル、トルコ、インドネシア、サウジアラビア、エジプト、イランなどの権力者たちは、米・欧帝国主義の「民主主義・人権」の押しつけと「二重基準」にたいする反発をつのらせている。彼らの多くがもはやG７諸国の言いなりにならないということは、ウクライナ侵略をめぐるロシア制裁の国連総会決議で明白となった。同時に、それぞれ地域大国にふさわしい軍事的・経済的力を確保することに血道をあげているこれらの諸国は、米―中・露双方からの投資や安価な石油や先進的技術を獲得するための術策を弄しているのだ。

中国とロシアは、このような〈南〉の権力者たちをみずからのヘゲモニーで束ねようとしてそれら諸国へのもろもろの「援助」を強化するとともに、「リーダー」と目した諸国をからめとってＢＲＩＣＳ（ブラジル・ロシア・インド・中国・南アフリカ）を拡大しようとしている。二三年八月のＢＲＩＣＳサミットでは、「ＢＲＩＣＳ＋６」への拡大が宣言された。けれども、アルゼンチンの新大統領ミレイは選挙での勝利早々ただちに「ＢＲＩＣＳに入らない」と言明した。

イランやベネズエラなどは中・露と緩やかな〝反米連合〟を形成しているのだとしても、それ以外の多くの諸国は、ロシアのウクライナ侵略はもとより、中国の南シナ海領有策動や〝債務の罠〟にも反発している。それゆえこれらの諸国の権力者たちは、たとえＢＲＩＣＳに加入したとしても、あるときは米・欧諸国と協力し他のときは中・露の側に立つ、というように、みずからの国家的利益にもとづいて〝二股外交〟方式で立ちふるまっている。ＢＲＩＣＳに参加すると同時にＱＵＡＤ（米・日・豪・印四ヵ国連携）やＩＰＥＦ（インド太平洋経済枠組み）にも参加するという両天秤外交をくりひろげているインドのモディ政権が、その典型である。

モディのインドは、人口では中国を超えて世界一となり、いまや世界のハイテク大国として登場しつつある。モディ政権は、ヒンドゥー・ナショナリズムを鼓吹しながら人民を強権的に統治するとともに、中国との衝突にも備えて――米・日などとの軍事的協力を強めつつ――南アジアにおける核軍事大国として自国軍隊を強化している。

このようにそれぞれが内に向かっては強権的支配体制を構築しつつ、外に向けては軍事力強化に突進しながらナショナルな利害をぶつけあっているこれらの地域大国は、米―中・露激突のもとで、それぞれの地域における戦争の新たな震源となっているのである。

二〇二四年のこんにち、米・中・露をはじめとする権力者どもの戦争と圧制によって数多の労働者・人民が殺され、各国権力者による強権支配のもとで貧困を強制されている。この苛酷な現実にたいする人民の怒りや憤懣が鬱積しているにもかかわらず、各国における労働者階級の階級的闘いは沈滞させられている。ソ連邦崩壊以降に決定的となった各国の左翼諸政党や労働運動指導部の底知れぬ腐敗――このゆえにもたらされた全世界の労働者階級の闘いの歪曲と沈滞、これを根本から突破することが、わが反スターリン主義革命的左翼に課せられた責務なのである。

Ⅱ　反戦闘争、政治経済闘争を強力に推進せよ！

A　イスラエルのガザ人民虐殺弾劾・ウクライナ反戦の闘いの高揚を！

（1）二〇二三年十月七日に、パレスチナのイスラム原理主義組織ハマスを先頭とする武装勢力がイスラエルにたいする越境武装攻撃を敢行した。これにたいしてイスラエルのネタニヤフ政権は、「テロリスト・ハマスを根絶する」と絶叫し、狭いガザ地区に閉じこめた二二〇万の人民に向かって正規軍を突撃させて襲いかかった。

わが革命的左翼は、この狂気のジェノサイドを弾劾する闘争にただちに起ちあがった。わが同盟は次のように呼びかけた。——このハマスの武装闘争こそは、『天井のない牢獄』に十六年間も閉じこめられ、それに反抗すればシオニストの軍や官憲によって虫けらのように殺されてきたパレスチナ・ガザ人民の積もり積もった憤激に駆られての武装決起」にほかならず、「全世界の労働者階級・人民は、……この決死の武装闘争を〝世界はパレスチナを忘れるな〟〝シオニスト国家の暴虐を許すな〟という悲痛な叫びとして受けとめ、いまこそ奮起し闘いに起ちあがるのでなければならない」、と。そしてネタニヤフ政権によるガザ総攻撃を「イスラエルにたいする抵抗の拠点となっているガザのパレスチナ自治区そのものを人民もろともにこの地上から抹殺せんとする狂気のジェノサイドいがいの何ものでもない」（本誌第三二八号）、と。

われわれは、ネタニヤフ政権によるガザ自治区そのものの抹殺を狙った軍事攻撃・人民虐殺を阻止する反戦の闘いの爆発をかちとらなければならない。

ネタニヤフ政権は、北部のみならずハンユニスやラファなどガザ南部都市の住宅地を爆撃し地上軍を突入させて大殺戮を強行している。この殺人鬼どもは、ガザ全域で病院、学校、住宅地をことごとく破壊している。この二ヵ月半で女性、乳幼児、高齢者を含む二万にのぼる人民が爆死し瓦礫の下で圧死させられた。ガザ人民のすべてを、まさしく地獄に突き落とす歴史上まれにみる残虐なジェノサイド！ シオニスト・ネタニヤフ政権のパレスチナ人民皆殺しの蛮行を絶対に許すな！

虐殺者ネタニヤフ政権を全面的に支援するアメリカのバイデン政権を弾劾せよ！「ハマス殲滅作戦」をがなりたてるネタニヤフ政権に「連帯」を表明している岸田政権を弾劾せよ！

イスラエルに軍事占領されたシナイ半島、ゴラン高原の奪還をかけて、エジプト、シリアが軍事攻撃にうってでた第四次中東戦争（一九七三年）、それからちょうど五十年を経た二〇二三年十月、ハマスはイスラエル・シオニスト権力にたいする一大武装闘争を敢行した。それは、サウジアラビアをはじめとするアラブ諸国権力者の多くが「アラブ・パレスチナの大義」を投げ捨てイスラエル権力者と手を結ぼうとしたことへの決死の反抗にほかならない。パレスチナを蹂躙しつづけるシオニスト権力と癒着するアラブ諸国権力者を弾劾せよ！

（2）ネタニヤフ政権によるガザ人民虐殺をまえにして、米欧の権力者どもは「イスラエル支援」を口実にして「ウクライナ支援の縮小・打ちきり」に舵を切りはじめている。ネタニヤフ政権と結託しこの政権を全面的に支えているアメリカのバイデン政権にたいして、全世界の人民および権力者から、アメリカの労働者・人民からも猛烈な非難の砲火を浴びせられ、バイデンは火だるまとなっているのだ。

こうしたなかで、プーチンのロシアは、みずからはウクライナにたいしてガザと同様の残忍なジェノサイドを強行しつづけていながら、盗人猛々しくも「ガザの民間人殺害」を非難している。しかも、米欧諸国がそれぞれの国家的利害を優先してウクライナを見殺しにする姿勢を強めているなかで、ここぞとばかりにプーチンは、より残忍な軍事攻撃に拍車をかけ占領地を拡大しようとしている。

全世界の労働者階級・人民は、困難に直面するウクライナの労働者・人民をけっして孤立化させてはならない。われら世界の労働者・人民は、〈プーチンの戦争〉をなんとしてもうち砕くために苦闘するウクライナの労働者・人民の叫びを受けとめ、ウクライナ反戦闘争の大前進をかちとるのでなければならないのだ。

「ウクライナを非ナチ化する」などとほざき、ウクライナ諸都市のエネルギー・インフラ施設、住宅街へのミサイル攻撃を強行するプーチンを怒りを込めて弾劾せよ！　極寒のなかにウクライナ人民をさらすこの犯罪行為を絶対に許すな！　ウクライナ東・南部四州の占領地におけるロシア軍によるウクライナ人民の徴兵を許すな！　占領地での人民の虐殺・拷問という蛮行を強行するプーチン政権を弾劾せよ！

この今ヒトラーの犯罪をまえにして、弾劾の声をあげることもなく「反戦」の闘いを呼びかけてもいないのが日共の志位指導部である。このネオ・スターリン主義官僚どもには、侵略者プーチンへの憎しみも怒りもなく、同胞と故郷を守るために必死にたたかうウクライナ人民への共感もまったくないのだ。

まさにこのゆえに、日共党員のなかに、〈プーチンの戦争をうち砕け〉というわが革命的左翼の呼びかけが深く染みとおっている。それは、日共中央にたいする党員たちの怒りと不信に満ちた造反としてあらわれているのである。

「ロシアよりもNATOが悪い」などと主張し事実上プーチンの犯罪を擁護する観念左翼ども、そしてまた「ロシアもウクライナも今すぐ停戦を」と主張する輩たち、その腐敗の根拠は、彼らが侵略者にたいして立ち向かうウクライナの労働者・人民の側に立っていないことにある。根本的には、スターリン主義との対決の欠如にあるのだ。

現在直下、強行されている〈プーチンの戦争〉――それは、ソ連邦崩壊を「二十世紀最大の地政学的大惨事」などとほざいてきた大ロシア主義者プーチン、元KGB将校にして〝スターリンの末裔〟たるこの輩が、旧ソ連邦の版図を復活するために、ウクライナという国家と民族をこの地球上から抹殺せんとしてしかけた世紀の蛮行にほかならない。このプーチンの歴史的犯罪性を暴きだし、この蛮行をうち砕くウクライナ反戦の炎をよりいっそう燃えあがらせるのでなければならない。

そして、この反戦闘争を創造するただなかでわれわれは、ロシアの労働者・人民にプーチン政権を打倒するべきことを呼びかける。FSB(連邦保安庁)にたむろするシロビキの権力者・特権支配層は、ロシア革命を簒奪したスターリンの末裔である元スターリニスト党官僚であり、解体されたソ連邦の国有財産の簒奪者だ。ロシアの労働者・人民はこのことにいまこそ目覚め、〈ロシアのウクライナ侵略反対! FSB強権型支配体制打倒!〉の闘いに起ちあがれ!

B　二〇二四春闘勝利! 社会保障削減・大衆収奪の強化を許すな!

われわれは来たる二〇二四春闘に向けて、独占資本家どもによる賃金抑制・物価引き上げ・解雇攻撃をうち砕く闘いを創造しよう。岸田自民党政権による大増税・社会保障削減や「労働市場改革」という名の転職・解雇促進を粉砕する闘いをただちにつくりだそうではないか。

歴史的な円安、狂乱的なインフレ、食料・エネルギー価格の高騰のもとで、われわれ日本の労働者階級・人民は、困窮生活を強いられている。にもかかわらず、「連合」芳野指導部は、「短期的視点で要求を考えない」などとほざいて「賃上げ分三%以上」などという物価上昇率にも満たない低率の「要求指標」を掲げているにすぎない。「春闘の方向性は政府や経営者と同じ」などと言い放ち、二四春闘を〝日本経済再生・産業基盤強化のための政労使協議〟へと収斂させようとしている「連合」労働貴族を弾劾し、独占資本家とその政府にたいする日本労働者階級の一大反転攻勢にうってでようではないか。十九ヵ月連続の実質賃金低下という苛酷な現状を突き破り、「大幅一律賃上げ獲得」をめざしてたたかおう。二四春闘の勝利に向けて奮闘しよう。

われわれは、軍拡増税や社会保障の削減、公共料金の引き上げ、「三位一体の労働市場改革」と称する解雇・賃下げ促進などの岸田政権の諸攻撃をうち砕くための政治経済闘争を、「連合」指導部による岸田政権の「労働市場改革」翼賛を弾劾し、また「全労連」式の対政府の政策・制度要求運動への歪曲をのりこえたたかうのでなければならない。

東アジアにおける朝鮮半島・台湾を焦点とした戦争的危機のまっただなかで、岸田政権はいま、アメリカ・バイデン政権の要求に応えて南西諸島へのミサイル配備をはじめとした大軍拡と緊急事態条項新設・第九条破棄を核心とする憲法大改悪に突進している。巨額の軍事費を投じて一大軍拡を強行している岸田政権は、その「安定財源」を確保するために労働者・人民に高負担を強いる大増税や、年金・生活保護支給額の切り下げ、医療費窓口負担増、社会保険料引き上げなどを相次いで強行している。大軍拡攻撃と表裏一体をなすこの大衆収奪強化の攻撃を断固としてうち砕け！　労働者に大量解雇と転職を強制し、さらなる貧窮に叩きこむ「三位一体の労働市場改革」をうち砕け！

C　岸田日本型ネオ・ファシズム政権を打倒せよ！

昨二〇二三年をつうじて、わが革命的・戦闘的労働者と全学連は反戦反安保・改憲阻止闘争や大増税・大衆収奪に反対する政治経済闘争を断固として推進してきた。このわが革命的左翼を先頭とする労働者・人民の闘いに包囲された岸田政権はいま、断末魔の危機に叩きこまれている。

この政権および自民党の中枢を担ってきた「安倍派五人衆」(官房長官・松野博一、経済産業相・西村康稔、党政調会長・萩生田光一、党参院幹事長・世耕弘成、党国対委員長・高木毅)らによる「政治資金パーティー」収入のキックバック。少なくとも五年間で総額五億円超にのぼる大企業・独占資本からの政治献金の隠蔽。これにたいする労働者・人民の怒りの炎が全国から巻き起こっているのだ。

安倍派をはじめとする自民党は、「政界浄化」の名のもとに、労働者・人民の血税を原資とした政党助成金を一五九億円(二三年度)も受けとったうえで、大独占体の資本家や業界団体からの莫大な〝ヤミ献金〟を手中にしてきた。「パーティー券購入代金のキックバック」などというのは、こうした贈収賄を隠蔽するための隠れ蓑にほかならない。

巨額の「裏金」というかたちで暴露された資本家どもによる自民党・安倍派への政治献金の集中――それはとりわけ、安倍政権当時に確立されたNSC(国家安全保障会議)専制体制、各省庁幹部の人事権を一手に握る「内閣人事局」のもとで進行してきた。安倍政権は、NSCおよび内閣人事局による官僚機構の統制支配を強め、このもとで特定の資本家や改憲・大軍拡を叫ぶ極右分子とのドス黒い人脈を形成してきた。そして、「森友・加計・桜・IR」など数かずの疑獄事件をひきおこすとともに、そのもみ消しをはかるために、各省庁に公文書の書き換え・改ざんを命じてきたのである。

極右・安倍派を中軸としてきた自民党による政治支配、この日本型ネオ・ファシズム支配体制の腐敗が、いままさにむきだしとなっている。すべてのたたかう労働者・学生は、この犯罪を全労働者階級・人民のまえに暴露し、岸田日本型ネオ・ファシズム政権を打倒する巨大な闘いを全国から巻き起こそうではないか!

明るみに出されたこの腐敗は、安倍派にかぎったことではない。これこそは、日本帝国主義の政治経済構造たる国家独占資本主義の腐朽性を象徴するものにほかならない。ブルジョア階級の利害を体現する政治委員会たる政府およびそれを担う保守政党（自民党）と財界（独占ブルジョア階級）との政治献金の授受というかたちでの癒着、こうした国家独占資本主義特有の政・官・財の構造的癒着の現在的あらわれこそが、今回の疑獄事件なのである。

とりわけ、およそ八年間にわたって権力の座に居座ってきた安倍自民党は、「世界で一番企業が活躍できる国をつくる」というスローガンを掲げてアベノミクスという名の露骨な独占資本支援策を貫徹してきた。「異次元の金融緩和」の名によるマネーのばら撒き、株価のつり上げ、法人税減税とその反面での消費税増税、労働法制改悪などのブルジョア階級性もあらわな諸政策を、独占資本家どもの求めに応じて次々に実行し、労働者・人民を貧窮のどん底に突き落としてきたのが安倍政権であり、それを引き継いだ菅・岸田の自民党政権なのだ。独占資本に巨万の利益を与えるこのアベノミクス諸政策を貫徹してきた自民党政権に、独占資本家どもはその見返りとして、表向きの「政治献金」に加えて、このようなかたちで莫大なヤミ献金を注入してきたのである。

いまや疑獄暴露に逢着し人民の怒りに包まれグラグラになった岸田政権は、内閣と自民党執行部からの〝安倍派排除〟でみずからの政権の延命をはかろうとしている。怒れる労働者・人民は、そのような政治的のりきりを許さず、いまこそ、岸田日本型ネオ・ファシズム政権の打倒へ、そして自民党政府そのものの打倒へと前進するのでなければならない。すべての労働者階級・人民はあらゆる闘争を強化しこれらを集約し、岸田日本型ネオ・ファシズム政権の打倒へと突き進め！

この政権は、アメリカとの軍事同盟の強化と日本の軍事強国化、そのための労働者・人民からの大衆収奪の強化とそれによる極限的な貧窮の強制、政府にたいする労働者・人民の反撃を抑圧するためのネオ・ファシズム支配体制の強化に狂奔している。一超帝国としての力を喪失しているがゆえに、同盟諸国を動員して中・露の挑戦を抑えこもうとしているアメリカ・バイデン政権。その求めに応じて、東アジア・西太平洋における対中国（対北朝鮮・対ロシア）の戦争に備えるために、日米安保同盟をグローバルな安保同盟として強化し、史上空前の大軍拡と米日共同の戦争遂行体制の構築に突進しているのが、日本の岸田政権にほかならない。

対中国・対北朝鮮の先制攻撃体制構築のための長距離ミサイル（トマホークなどのスタンド・オフ・ミサイル）の配備、防衛費の二倍増（五年間で四三兆円）による軍備拡張、防衛産業の再育成と兵器輸出の解禁・拡大などに一路突進している。また、維新の会と国民民主党をも利用しながら、緊急事態条項——悪名高きナチスの全権委任法と同断だ——の新設と憲法第九条（「交戦権否認」と「戦力不保持」条項）をなきものにするための憲法の改悪を、本二四年中にもなしとげると宣言している。

自民党政権はまた、この「安全保障政策の大転換」と軌を一にして、〝戦時〟に備えての経済産業政策、文教科学政策などを次々にうちだし、それをしゃにむに貫徹しようとしている。「経済安保」を名分にしての半導体産業をはじめとするＩＣＴハイテク産業など軍民両用の分野への莫大な国家資金の注入、国立大学に「軍産学共同研究」「デュアルユース研究」を押しつけるための「国際卓越研究大学制度」の創設や国立大学法人法の改悪などは、〝戦争のできる軍事強国〟にふさわしい今日版国家総力戦体制を構築するための攻撃にほかならない。
それだけではない。こうした反動攻撃に反対する労働者・人民を弾圧し抑えこむために、いまネオ・ファシズム支配体制を一段と強化しているのが岸田政権なのだ。

全学連の拠点たる愛知大学豊橋校舎学生自治会の委員長をはじめとする三人の役員にたいして、大学当局が「反戦デモ参加」を理由としてくだした「退学処分」攻撃。学生自治会への「非公認」、先進的サークルへの「無期限の活動停止」を通告する攻撃。この一大弾圧こそは、政府・文部科学省が国立大学法人法の改悪をテコとして全国の大学教職員・学生にたいして開始しようとしている総攻撃の先駆けにほかならない。

「厚生補導」なる言辞をふりかざして反戦の活動を展開している自治会・サークルを破壊する愛大当局の攻撃は、まさに戦前・戦中の日本軍国主義権力およびこれに従った各大学当局が「思想善導」の名のもとに強行した思想・言論弾圧と極めて酷似した反動攻撃であり、治安維持法型の弾圧なのである。「大学の自治」「学問の自由」「言論の自由」を最後的に一掃し、軍事研究に反対するような教職員や反戦運動をたたかう学生自治会を弾圧し破壊するネオ・ファシズム的攻撃を、われわれは断固として粉砕しようではないか。

崩壊の淵に立つ日共スターリニスト党を解体せよ！

われわれは反戦反安保・政治経済闘争・ネオファシズム反動化阻止の大衆運動の組織化のただなかで、最後的な崩壊のときをむかえている転向スターリニスト党＝日本共産党を解体する組織的闘いをも断固として推進していこうではないか。

志位指導部はいま、結党いらい最大の組織的な瓦解状況を突きつけられ、その官僚主義的のりきりに血まなこになっている。彼らは今年一月の党大会を目前にして、「除名処分された人物による党大会かく乱策動について」などと題した組織局長・土方明果の雑文を『しんぶん赤旗』(十二月一日付)に掲載した。それは、「安保・自衛隊容認」「党首公選制」を要求して中央指導部に反逆し・処分された松竹某に共鳴した部分が大会代議員として志位指導部への非難を噴きあげようとしていることへの悲鳴にほかならない。

しかも、代々木官僚どもは、いまや下部党員からの非難の的となっている志位和夫を委員長職からはずさざるをえなくなっている。党大会に向けて開催された第十回中央委員会総会において、大会議案を提起したのは委員長の志位ではなくして副委員長の田村智子であったことに、それはしめされている。

もとより、こんにちの日共党組織のイデオロギー的変質と組織的瓦解の危機を招きよせた張本人こそ志位である。

この志位を頭とする代々木官僚どもは、「急迫不正の主権侵害にたいする自衛隊の活用」とか「安保条約第五条にもとづく日米共同対処〔＝米軍の出動を要請〕」とかを相次いでうちだし、「反安保」を完全に投げ捨て、労働者・人民の反戦反安保・改憲阻止の闘いにおびただしい害毒を与えつづけてきた。

しかも日共中央は、労働組合を「市民と野党の共闘の敷き布団」に貶《おとし》めてきた。物価急騰のなかでも、「政治の力で賃上げを」などと政府に対策をお願いすることに闘いを歪めてきた。反戦平和の闘いや賃金闘争・政治経済闘争の職場生産点からの創造をかぎりなくないがしろにし放棄することを労働者党員たちに強要してきたのが、〝政権ありつき病〟を昂じさせてきた志位らの代々木官僚どもなのだ。

こうした代々木官僚の腐敗を暴きだすわが同盟のイデオロギー的＝組織的闘い、これに揺さぶられた多くの良心的党員や活動家が、「自衛隊活用」を公言し「反安保」も投げ捨てた志位指導部にたいする造反を開始している。

まさにこのゆえに、ウクライナ反戦やイスラエルのガザ人民大虐殺反対、岸田政権打倒の闘いはおろか、選挙カンパニアとして位置づけてきたところの改憲・大軍拡反対や辺野古への米軍新基地建設反対の国会前集会にも党員・日共系活動家を動員できないほどの惨状をさらけだしている。党官僚が票田開拓のための大衆運動に党員を組織化しようとすればするほどに、わが革命的左翼による批判にさらされ、党組織のなかに反発と混乱と疑心暗鬼がひろがっているからなのである。

すべての労働者・学生諸君！　組織存亡の危機にあえぎ反労働者的腐敗をきわめるネオ・スターリニスト官僚どもを追撃せよ！

Ⅲ　反スターリン主義運動の巨大な前進を！

A　二〇二三年のわが闘い

われわれは、革マル派結成六十年の節目をなす昨二〇二三年、日本共産党をはじめとするいっさいの既成指導部の腐敗をのりこえ、ウクライナ反戦、反戦反安保、反ファシズムの闘争を、賃金闘争や政治経済闘争を、さらには教育学園・教育政治闘争を、まさに反スターリン主義革命的左翼としての真価を遺憾なく発揮して展開してきた。

二〇二四年の新年の劈頭にあたり、われわれは昨一年間の労学両戦線の激闘をふりかえり、その意義をかみしめつつさらなる闘いの前進をかちとるのでなければならない。

ウクライナ反戦闘争を推進

われわれは二〇二二年いらい、「ロシアのウクライナ侵略弾劾」の反戦闘争を、労・学両戦線でたたかいぬき、現にいまたたかっている。

侵略開始一年にあたる二三年二月下旬には、「ウクライナ連帯ヨーロッパ・ネットワーク（ＥＮＳＵ）」などが呼びかけた「ウクライナ連帯行動世界週間」に革共同革マル派および全学連として日本の地から参加した。ヨーロッパを中心にくりひろげられた労働者・人民のデモと連帯して、日本全国でロシア大使館・総領事館への抗議闘争を展開したのだ。

さらにわれわれは、広島への原爆投下から七十八年目の八月六日に、全国六ヵ所で「第六十一回国際反戦集会」を成功的に実現した。ウクライナ反戦闘争をさらに強力におしすすめる決意を固めたのだ。

革マル派結成六〇周年政治集会を実現

われわれは、革マル派結成が一九六三年二月であることにふまえ、昨二三年は年末ではなく九月の二十四日に「革マル派結成六〇周年革共同政治集会」を開催しその成功をかちとった。

＜プーチンの戦争＞は、ソ連邦崩壊を「二十世紀最大の地政学的大惨事」とほざいてきた元KGB将校プーチンの政権が、旧ソ連邦の版図を復活するために、ウクライナという国家と民族をこの地球上から抹殺せんとしてしかけた世紀の蛮行にほかならない。――このことをわれわれは暴きだし、このプーチンの蛮行をうち砕くためにたたかってきた。

プーチン・ロシアのウクライナ侵略をば世紀の大事件として受けとめたわれわれは、日共をはじめとする既成指導部のいっさいの闘争放棄を弾劾し、ウクライナ反戦の闘いを創造してきた。そして同時に、われわれは、ロシア人民にたいして、そしてウクライナ人民にたいして、反スターリニズム革命的左翼としての呼びかけを発してきた。とりわけ、ロシアの労働者・人民にたいしてわれわれは、「ロシア・プロレタリアートは、クレムリンを包囲し、プーチン皇帝を打ち倒せ！」「ロシア侵略軍の兵士は、一九一七年のロシア兵がそうであったように、銃の向きを変え、この闘いに合流せよ！」（「ロシアのウクライナ侵略に反対しよう！」本誌第三二五号）と呼びかけた。さらに、昨二〇二三年六月末に惹起した「ワグネルの反乱」の意味を、「FSB強権型支配体制の終わりの始まり」として暴きだし、「プーチン政権を打ち倒せ」と呼びかけたのである。

9・24政治集会においてわれわれは、革マル派結成以後六十年の歩みを追体験し、同志黒田を先頭として開拓されてきた組織現実論の、世界に冠たる意義を確認した。わが革命的左翼に課せられた責務の重大さを全同志が胸に刻み、新たな決意をうちかためたのだ。

イスラエルのガザ侵略弾劾闘争への決起

すでにⅡ章でみたように、われわれ革命的左翼は、二〇二三年十月に開始されたイスラエル・ネタニヤフ政権によるガザ攻撃・人民大虐殺にたいして、反戦闘争を全力で組織し、現にいまもたたかっている。

わが同盟と革命的な労働者・学生は、「テロにもジェノサイドにも反対」「暴力の悪循環を止めよ」などとほざいて岸田政権に「停戦のための外交努力」を求めるという犯罪的対応に終始した日共・志位指導部をのりこえ、「イスラエルのガザ軍事攻撃弾劾・パレスチナ人民のジェノサイド阻止」の闘いを大衆的に創造してきた。わが全学連と反戦青年委員会は、全国でイスラエルやアメリカの大使館・領事館にたいする抗議闘争を波状的にくりひろげたのだ。

われわれは、このハマスの武装決起とイスラエルのガザ攻撃にさいして、かの二〇〇一年九月十一日に生起したムスリム戦士のジハード自爆攻撃とアメリカ帝国主義のアフガニスタンへの報復爆撃にたいするわが革命的左翼の闘いの意義を再度かみしめつつたたかった。当時同志黒田は、次のように喝破した。――

「予想だにし得ざりしこの出来事は、アラブ世界に於るイスラム人民のアメリカ帝国主義に対する積年の怨嗟の爆発たるの意義を持つものなり。」「洋鬼帝国の壁に獅子奮迅のいきほひもて突っ込みし猛き攻撃は、画歴史的意義をもつと言はざるべからず。」

……この事件をただにテロルとして弾劾せむとするは、アメリカ帝国主義に対するこの攻撃が先進国階級闘争の放棄の結果として生ぜし徒花なるの自覚の欠けしを示すものにほかならず。」(「ヤンキーダムの終焉の端初」『アフガン空爆の意味』KK書房刊所収)、と。

そしてわが革命的左翼は、二〇〇二年夏に同志黒田が明らかにした「パレスチナ国家独立をめざして、イスラミック・インター－ナショナリズムにもとづく闘争を組織せよ！」(「反戦闘争の現在的環」『マルクス ルネッサンス』KK書房刊、九一頁参照)という呼びかけを、全世界のムスリム人民に向かって発したのだ。

一超軍国主義帝国アメリカのアフガニスタンおよびイラクへの軍事侵略にたいするわが革命的左翼の闘い――この闘いの核心的な思想的＝理論的な武器について、われわれはこんにちあらためて組織的に論議し、それを現在のパレスチナ侵略問題との対決に活かしたたかっているのである。

岸田政権の大軍拡・改憲に反対する闘い

二〇二二年末から二三年にかけて岸田政権が矢継ぎ早に強行した――「安保三文書」の改定、軍事予算の一挙的増大、軍需産業基盤強化法・軍拡財源確保法などの制定、「GX推進法」という名の原発推進法の制定、さらには国立大学法人法の改悪などの――反動諸攻撃、この戦後史を画する大攻撃にたいして、わが全学連と反戦青年委員会は、既成指導部の底知れぬ腐敗を弾劾しのりこえ、「大軍拡反対・ファシズム反対」の闘争を果敢にたたかいぬいてきた。そして東アジアを焦点とした米・中激突下の戦争勃発の危機を打ち破る反戦・反安保闘争を推進してきた。

「連合」芳野指導部は、岸田政権の安保・防衛政策についても、改憲政策についても隠然と後押しを決めこんできた。この「連合」指導部の腐敗を弾劾しつつ、わが同盟と革命的労働者たちは、労働戦線から大軍拡・改憲反対の闘いをつくりだすために奮闘したのである。

日本共産党指導部は、もっぱら自党の代案を宣伝する選挙向けキャンペーンに下部活動家を引き回し、反戦や反改憲の大衆的な闘いの組織化を完全に放棄した。このような日共系指導部の闘争放棄を弾劾し、全学連と反戦青年委員会は、岸田政権の反動諸攻撃に反対する闘いを国会前や首相官邸前で連日たたかいぬいたのだ。

わが革命的・戦闘的労働者たちは、二〇二三春闘において、猛烈な物価高のなかで物価上昇率を下回る「賃上げ」要求しか掲げない「連合」労働貴族を弾劾し、職場において「大幅一律賃上げ」をめざして闘いを下から創意的につくりだした。それと同時に、わが仲間たちは、軍拡増税や社会保障の削減などの岸田政権の諸攻撃をうち砕くための政治経済闘争をおしすすめてきたのだ。

自治会破壊・治安維持法型弾圧をうち砕く全学連の闘い

二〇二三年九月十五日に愛知大学当局は、全学連

の拠点たる豊橋校舎学生自治会にたいして役員が反戦デモに参加したことを理由にして「退学処分」を強行した。そして、十一月七日、この「退学」の撤回を求める全国的な運動を展開した学生自治会にたいしても、「非公認」とする攻撃をふりおろした。

　わがマル学同革マル派を先頭とするたたかう学生たちは、この攻撃にたいして断固たる反撃にうってでた。たたかう学生は、学生自治会を主体とした運動を創造し・自治会組織の強化をかちとるだけでなく、「反ファシズムの全学連戦士」を組織してゆくことを決断した。まさに「果を因に転じる」精神で反撃に起ちあがったのだ。愛大のたたかう学生は、記者会見やＳＮＳなどを活用して愛大キャンパスのみならず全社会的にこの不当弾圧への怒りを組織し、全国の学生や文化人・ジャーナリストなどの支援の声を大きくつくりだしているのである。

　この反スタ魂につらぬかれた愛大のたたかう学生たちの闘いは、わが全学連を除いては一切の学生運動が完全に消滅しているなかで、これを突き破る偉大な闘いにほかならない。

Ｂ　戦争とファシズムの時代を覆し〈革命の世紀〉を切り拓こう

戦争とファシズムと暗黒の時代を、今われらはなんとしても〈革命の世紀〉へと転化しなければならない。――それは、ソ連・東欧における「社会主義国家」が瓦解したのだとはいえ、スターリン主義の問題と真正面から対決することなくして実現することはできない。

　このことは、ウクライナ侵略問題にたいするヨーロッパなど世界の自称「左翼」の対応に鮮やかにしめされている。ドイツ左翼党などの旧スターリニスト、堕落したトロツキストのほとんどすべてが、「プーチンを追いつめたＮＡＴＯが悪い」とか「あれは帝国主義同士の戦争だ」とかという許しがたい言辞を垂れ流し、実質上は侵略者プーチンを擁護している。

　プーチンの擁護者になりさがっているこの連中は、一九九一年のソ連邦の自己解体という〈世紀の犯罪＞と正面から対決してこなかったがゆえに、いやそもそもスターリン主義の犯罪と一度たりとも対決してこなかったがゆえに、おのれの価値基軸の崩壊に直面せざるをえなかった。そこで〝西の帝国主義か東の帝国主義か〟などといった現代世界のマルクス主義的な構造把握とは無縁な〝枠組み〟をあてがって世界を解釈することしかできなくなったのである。

それは、「ソ連邦＝官僚主義的に歪められた労働者国家」説にもとづいて「労働者国家無条件擁護」の戦略を護持してきたがゆえに、ソ連官僚政府のたび重なる犯罪的行為にたいして一貫してプロ・スターリン主義的な腐敗した態度をくりかえしてきたこと（堕落したトロツキストの場合）、このことをまったく反省していないがゆえなのだ。あるいは、スターリニスト・ソ連邦をばマルクスの過渡期社会論や社会主義論を武器にして分析・把握することを放棄して、「東の帝国主義」などと単純にとらえ、「東西の帝国主義にたいする国際的闘争」なるものを空叫びしてきたその観念性のゆえなのだ。まさにこうした連中のすべてが、ロシアのウクライナ軍事侵略に直面してみずからの反マルクス主義的な思想的腐敗をさらけだし、プーチンと心中して自爆したのである。彼らに欠如しているものは、まさしく核大国ロシアによるウクライナ人民大虐殺・ウクライナ民族抹殺策動にたいする労働者的な怒りであり、＜スターリン主義との対決＞にほかならない。

スターリン主義の反プロレタリア性・反マルクス主義性を理論的に再確認するならば、それは次のように言える。

一九二四年のレーニンの逝去。その直後に「一国での社会主義建設可能」論をうちだしたスターリンは、「社会主義ソ連邦」の建設と防衛を自己目的化して世界革命完遂の立場を完全に放棄した。これに反対するトロツキーらの左翼反対派を次々に粛清・排除したスターリンは、労働者ソビエトを破壊し政治権力を簒奪して、ソ連国家を官僚専制国家へと変質させた。GPUおよびKGBによる国内の密告・弾圧体制の構築と何百万もの共産党員・人民を「帝国主義のスパイ」と烙印しての「大粛清」。計画経済の官僚主義的上意下達システムへの歪曲。農業の強制集団化。「労働の量と質に応じた分配」の名による特権官僚による余剰労働の収奪と莫大な報酬の取得、対極における労働者への低賃金の強制。

そして、「民主的帝国主義との同盟」の名による西欧各国プロレタリア革命の絞殺。一国革命主義と二段階戦略による後進国・植民地革命の裏切り。第二次大戦後の東・中欧における、ソ連軍の占領のもとでの「人民民主主義革命」という名のスターリニスト官僚専制国家のでっちあげ。ソ連邦を防衛するための衛星国としてこれらの国を配置し支配するソ連中心主義体制の構築。そして、ハンガリー、チェコスロバキア、ポーランドなどの衛星国で勃発した労働者・民衆の反乱や「民主化」運動、これにたいする軍隊を動員しての暴力的圧殺。……

われわれはこのようなスターリン主義の反プロレタリア性・反マルクス主義性を完膚なきまでに暴露し、現実に帝国主義とともにスターリン主義を打倒するために日夜たたかいぬいてきた。

『日本の反スターリン主義運動2』で、同志黒田は次のように言っている。――「このスターリニズムという二〇世紀現代における怪物との対決とその粉砕を徹底的に遂行することなしには、現代プロレタリアートの自己解放は決して実現されえないのである。」（同書こぶし書房刊、二六二頁）

このわが創始者の言葉を、われわれは二十一世紀現代において引き継ぎ・つらぬいてたたかっているのである。

反スターリン主義運動創成の原点

ウクライナへのロシアの軍事侵略は、破綻したスターリン主義ソ連邦の版図回復を策すプーチンら元官僚どもが「大ロシア」を再興するために強行した犯罪いがいのなにものでもない。これに立ち向かうわれわれ革命的マルクス主義者の原点は、わが創始者・黒田寛一がハンガリア事件にさいして発した次の言葉である。

「ハンガリア動乱を反革命として評価すべきか、それとも革命として評価すべきか、だから当然にもハンガリア事件がまきおこらなければならなかった根源はどこにあるのか。――こういう問題は、さしあたりまず、どうでもよいことである。なによりもまず第一にわれわれの念頭におかれなければならないことが、ただ一つだけある。それは何か？／いうまでもなく、ハンガリアの全民衆にむかってソ連軍が発砲したということだ。ハンガリアの全民衆が、……彼らからうきあがった政府とソ連軍とを敵にしてたたかった、というこの事実だ。ソ連軍のタンクにハンガリアの民衆がふみにじられ、虐殺された、というこの厳然たる事実――これに眼をおおうようでは、共産主義者失格である。」「血を流してまでも、あくまでも抵抗しつづけるハンガリア勤労大衆のがわにたたないかぎり、問題の解決とはならない。ハンガリア民衆の血の叫びをわれわれ自身のものとなしえないかぎり、どのような理由づけがなされようとも、それは色あせてしまい、無意味となるのだ。いや無意味であるどころか、共産主義以前的であり、共産主義者失格なのだ。」（『現代における平和と革命』、『黒田寛一著作集』第十七巻KK書房刊、九五〜九六頁）

わが黒田寛一をして反スターリン主義の哲学者から反スターリン主義の革命家へと飛躍するというその実存的決断を促す原点となったもの――それはまさしく〈血を流してまでもあくまでも抵抗しつづける勤労大衆のがわにたつ〉ということにほかならない。われわれは、先の黒田の言葉を噛みしめ、歴史的現実に立ち向かうのでなければならない。

そしてさらに、ソ連スターリン主義の崩壊をまえにして同志黒田が書き記した次の言葉をわがものとしつつ、われわれはこの暗黒の世紀の革命的転覆をめざして勇躍前進するのでなければならない。

「それによって生きかつ死ぬことのできる世界観として、マルクス主義を、唯物史観を、おのれ自身のものとして主体化しようとしてきた私にとっては、ソ連邦の世紀の崩壊と世紀末世界の混沌への突入は、マルクス思想の真理性の証明いがいの何ものでもなかった。いや、むしろ、三十数年にわたって営々とおしすすめられてきたわが革命的共産主義運動の力によって、スターリン主義・ソ連邦を革命的に解体することができなかった、という歴然たる事実に愕然とさせられたのが真実に近いといったほうがよい。

〝開明君主〟気取りのゴルバチョフと党官僚ボリス・エリツィンが演じたソ連共産党自己解体の茶番劇にたいする、心からの怒りと慚愧の念に、その当時の私はつつまれたのだったからなのである。／マルクスの革命的思想は、時代を超えて、私の、われわれの、そして全世界の闘う労働者たちの心奥において生きつづけ、いまなお燃えさかっている。それは、二十一世紀の思想的パラダイムとしてうけつがれ発展させられなければならない。それだけではなく、《戦争と革命》の第二世紀をひらくために、われわれは、革命ロシアの伝統を受け継いで、プロレタリア階級の全世界的規模での自己解放の闘いを組織しなければならない。マルクス思想は、このたたかいの精神的武器たらしめられなければならない。そうすることにより、世界革命の永続的完遂が、ぜひとも実現されなければならない。」（『社会の弁証法』、『黒田寛一著作集』第二巻KK書房刊、三三〇～三三一頁）

すべてのたたかう労働者・学生は、「地上の太陽」たるわが革マル派とともにプロレタリア革命に向けた大道を前進しようではないか！

帝国主義とともにスターリン主義を打倒し全世界のプロレタリアートの自己解放を切り拓くために、その最先頭に立ってたたかいぬこうではないか！

安保強化・改憲を粉砕せよ

〈プーチンの戦争〉を打ち砕け　ガザ人民ジェノサイド弾劾！　岸田反動政権を打倒せよ！

中央学生組織委員会

二〇二四年の年頭にあたって、革共同・中央学生組織委員会は全学連のすべてのたたかう学生に訴える！

戦闘的・革命的労働者と固く連帯して、岸田政権による安保強化・大軍拡・改憲の反動総攻撃をうちくだく闘いを、そしてウクライナ反戦闘争を、さらにガザ人民虐殺弾劾の闘いを、断固としておしすすめようではないか！

米・欧の権力者がウクライナ軍事支援を打ち切りつつあるいま、これにほくそ笑むロシア大統領プーチンは、「ウクライナの非ナチ化」なる目標をふたたび掲げ直して都市猛爆撃と東部地域侵攻に狂奔している。ロシア侵略軍にたいするウクライナ労働者・人民の闘いは、いま重大な局面にある。〈プーチンの戦争〉をうちくだく反戦闘争の大爆発を、全学連はいまこそ全力できりひらけ！

イスラエルのネタニヤフ政権は、パレスチナ解放闘争を暴力的に圧殺するためにガザ人民の皆殺し戦争に狂奔している。すでにこの政権はガザ人口の一〇〇人に一人＝二万二〇〇〇人もの人民を血の海に沈めた。この残忍無比のジェノサイドを粉砕せよ！　イスラエルを支えるアメリカ帝国主義のバイデン政権を弾劾せよ！

目次

プーチン・ロシアのウクライナ全面侵略を震源として、ここ東アジアにおいても、南シナ海、台湾海峡、そして朝鮮半島を最前線として米・日・韓―中・露・朝の角逐が激化し、いつ戦乱の火が噴くともしれぬ危機が日々高まっている。そのまっただなかで、アメリカに安保の鎖で締めあげられた「属国」日本の岸田政権は、日米軍事同盟を対中国の攻守同盟に転換し・日本国家を「先制攻撃を遂行しうる軍事強国」たらしめるというその安保・軍事戦略にのっとって、空前の大軍拡と憲法改悪の攻撃を人民の頭上にうちおろしている。この反動総攻撃を、全学連の総力をあげてうちくだけ！

大衆闘争の完全な放棄をきめこんでいる日共中央を弾劾しのりこえ、右のような諸闘争の爆発をかちとることが、二〇二四年の開けにあたっての全学連の任務である。岸田政府・文部科学省およびこれに尻を叩かれた反動大学当局者による革命的学生運動破壊の攻撃をも敢然と粉砕し、前進しようではないか！

一月一日に発生した能登半島地震にさいして首相・岸田文雄は、被災者見殺しのデタラメな震災対応に終始している。岸田政権にたいする労働者・人民の怒りはますます沸騰している。この岸田がこれ以上政権に居座り、改憲・安保強化をはじめとした極反動攻撃に狂奔することを断じて許してはならない。戦争と貧窮と圧政を強制する岸田日本型ネオ・ファシズム政権を、労働者・学生・人民の力で打倒せよ！

2・3全学連闘争に起て！

Ⅰ　米―中・露対決下で激動する二〇二四年劈頭の現代世界

A　ウクライナ「非ナチ化」を叫び侵略に狂奔するプーチン

プーチンは昨年末、三月十五～十七日投票のロシア大統領選挙に出馬すると表明した（次の当選で五期目。任期六年）。

この選挙を前にプーチン政権は「反体制派」活動家を北極圏の牢獄に閉じこめ、これに連なるとみた候補者は資格審査であらかじめ排除した。ウクライナの占領地においては、ロシアのパスポートを持たない者にも銃口をつきつけて投票を強制しようとしている。大規模な票数操作をおこなうことも最初から明々白々な、この大統領選へのプーチンの立候補は、「ウクライナ侵攻作戦継続への国民の高い信任」なるものを演出することをねらった「皇帝」の世紀の茶番にほかならない。

同時にそれは、プーチンを表看板として戴いてきた安全保障会議書記パトルシェフら「FSB強権体制」の官僚どもが、米欧権力者によるウクライナ軍事支援打ち切り＝ウクライナ切り捨てが明白になりつつあるというこの局面で、「戦争指導者」としてのプーチンの大統領続投をさしあたり決めたということをも示しているのだ。

五たび大統領の座におしあげられることになった

プーチンは、傲然とほざいた――「オデーサはロシアの街だ」「〔ウクライナにたいする〕軍事作戦の目標は何も変わっていない。ウクライナの非ナチ化・非軍事化・中立化だ」と(昨年十二月十四日に開いた「大記者会見・対話集会」での発言)。いまやプーチンは、ウクライナ東・南部四州の併合にとどまらず、ウクライナを「内陸国」化し衰亡に追いこむためにザポリージャ・ヘルソン両州からオデーサ市にいたる黒海沿岸地帯を制圧下におくこと、さらには「非ナチ化」＝ゼレンスキー政権の〝斬首〟をも、軍事目標として掲げ直したのである。

ウクライナ軍の武器・弾薬不足が深刻化していることをとらえてプーチンは、大統領選にむけた国内向けの「戦果」アピールをもねらって、ウクライナへの軍事攻撃をふたたび拡大している。プーチンの命をうけたロシア軍は、貧窮に苦しむ人民や少数民族の人民、さらに囚人などを兵士としてかき集め、最前線に投入している。動員兵たちに「督戦隊」の銃口を背後からつきつけて――しばしば武器さえ持たせず・「ウクライナ軍に弾薬を消費させる」ための〝捨て駒〟として――突撃を強い、おびただしい戦死者の山を築きながら、ウクライナ軍陣地にたいする攻勢をしかけているのだ。またロシア軍は、首都キーウをはじめとしたウクライナの諸都市にたいしては、極超音速ミサイルや自爆ドローンによる大規模空爆を年末から年始にかけて連続的に強行している。

〔プーチン政権が少数民族を戦地に送りこむのは、出生率が低下しているロシア人の・少数民族にたいする比率を増やすという〝人口政策〟にもむすびついている。ウクライナの子どもを拉致し、ロシア人と養子縁組する＝ロシア人化するという悪行に手を染めていることもまたそうである。〕

このプーチンがさしむけたロシア侵略軍の攻撃にたいして、東・南部の奪われた領土の奪還をめざしてきたウクライナ軍は、残り少なくなった弾薬を各戦線間で融通しながらの苦難な戦いを強いられている。東部戦線においては、これまで掌握してきたドネツク州の要衝マリンカからの撤退を余儀なくされ(十二月末)、現時点は同州アウディーイウカを最大の焦点とした防衛戦を戦っている。南部戦線においては、ロシア側が築いた塹壕と最大幅二〇キロメートルの地雷原、さらにコンクリートブロックからなる多重防衛線を前に、ウクライナ軍は進軍を阻まれている。いずれの戦線においても、弾薬の不足と、上空からウクライナ軍を攻撃するロシア軍主力戦闘機スホーイをミサイルの射程で上回る航空戦力（ウクライナ側が米欧に供与を求めるＦ16はそれである）の不足とが、ウクライナ軍に重くのしかかっている。

こうした武器・弾薬不足がもたらされている大きな要因は、アメリカのウクライナ軍事支援予算が議会不承認のゆえに昨年末で底をつき、追加供与が止まっていることにある。だがバイデンは同じ昨年末、ネタニヤフのイスラエルにたいしては、二〇八億円分の弾薬支援を「緊急」と称して議会の承認も得ないでおこなったのであった(十二月二十九日)。明らかにバイデンは、――現時点ではトランプ共和党にウクライナ支援の追加予算の承認を求めているとはいえ――共和党の「ウクライナ支援反対」の声をもむしろ利用して、支援縮小（イスラエル支援への切り替え）にもちこむ腹をかためているのだ。

もとより、「唯一の競争相手」中国を抑えこむとともに・この中国と結託するロシアについてはあくまでアメリカに対抗できぬようこれを「弱体化」させることがバイデンの世界戦略の基軸なのであった。バイデンは、――追いつめられたプーチンが核使用にふみきることを恐れたがゆえに、そしてプーチン政権の倒壊によってプーチン以上の〝強硬派〟が核を握る事態をも恐れたがゆえに――はじめからウクライナ側を勝たせるに足る武器を与えてはこなかったのだ。このバイデン政権は、米大統領選が本格化するにつれて、イスラエルへの軍事支援増強をも口実にしながら、ウクライナをますます見捨ててゆくにちがいない。〝反転攻勢が失敗したのはウクライナ軍が米軍の指示どおりに戦力を配置しなかったからだ〟とメディアにリーク情報を報じさせているのはその布石にほかならない。

他方、ＥＵ諸国においても、自国経済が危機に沈むなかで、「ウクライナ支援反対」を唱える政党が新たに政権の座についたり（スロバキア）、〝自国ファースト〟の極右政党が伸長したりしている（ドイツ、オランダなど）。昨年十二月十四日のEU首脳会議においては、ウクライナのEU加盟交渉開始が――加盟反対のハンガリー・オルバンをドイツのショルツが、補助金凍結解除を交換条件として「棄権」させたことによって――決定されたのであるが、むしろこれを煙幕として、EU各国権力者・支配階級も総体としてウクライナ軍事支援打ち切りへの傾動を急速に強めてゆくにちがいない。彼らにとっては、自国の被支配階級人民をみずからの支配秩序のもとに組み敷きからめとることこそが第一義なのだからである。

プーチンの暴虐に抗するウクライナ軍と人民の一年十ヵ月にわたる戦いは、いま大きな困難に逢着している。全世界労働者・人民のウクライナ反戦のうねりが今ほど求められている時はないのである。悪逆な〈プーチンの戦争〉を粉砕する反戦の巨大な闘いを、いまこそまきおこせ！

B　ネタニヤフのガザ人民大虐殺と中東戦争の切迫

パレスチナにおいては、ハマスの10・7越境攻撃に逆上したイスラエル・ネタニヤフ政権が、ハマスもろともガザ人民を皆殺しにするジェノサイドに狂奔している。

ネタニヤフが放ったイスラエル軍はいま、ハマスのガザ地区指導者シンワルが潜伏しているとみなした南部ハンユニスなどの諸都市を包囲し、ミサイル・銃弾の雨あられを浴びせかけて、ハマス戦闘員もろとも血の海に沈めている（すでにガザ地区全人口の八五％にあたる一九〇万人が家を追われ避難生活を強いられている）。イスラエル軍は男性を家族の前に並ばせて射殺したり、また男性を裸にしてトラックに詰めこみ連行したりと、ガザ人民にたいする蛮行をほしいままにしている。まさに、かつてナチス・ドイツがユダヤ人にたいしておこなったことと同様ではないか！

反シオニズム闘争の拠点となってきたガザ地区のパレスチナ人民を殺戮し追放し、ガザ地区そのものを地上から抹殺するために、この地を灰塵と化すほどに破壊の限りを尽くしているのが、狂信的シオニストが主導するネタニヤフ政権なのだ。

それだけではない。ヨルダン川西岸地区においてもシオニスト権力は、ガザ侵攻に抗議するパレスチナ人民を、子どもや女性も含めて無差別的に殺戮し、また裁判所の令状もなしに無期限で刑務所送りにする「行政拘禁」なる手法で数千もの人民を手当たり次第に拘束している。このかん、パレスチナ人を暴力的に追いだしてヨルダン川西岸に「入植地」を拡大してきたシオニストは、いまやこの地区において燃えさかるパレスチナ人民の反イスラエル闘争を根絶やしにしようとしているのだ。

ネタニヤフは、その足元においては、収賄など三件の疑獄事件で起訴されており、現在も裁判が進行中である（おのれの身を守るためにネタニヤフがおしとおした「司法制度改革」なるものも、一月一日、最高裁によって「無効」が宣告された）。この殺人鬼は、自分の監獄行きを免れるためにガザ人民を血祭りにあげているのだ！

このネタニヤフのさしむけたイスラエル軍にたいしてハマス（その軍事部門「カッサム隊」）は、網の目のようにガザの地底に張りめぐらされた全長四五〇キロメートルともいわれるトンネルを駆使しての決死的反撃をくりひろげている。シオニストにふみにじられつづけてきたガザ人民、そしてすべてのパレスチナ人民の積年の怒りと無念を背負いながら。

他方、このハマスとの「連帯」を掲げて、レバノンのシーア派組織ヒズボラがイスラエル北部へのミサイル攻撃を敢行しつづけ、イエメンのシーア派組織フーシもまたイスラエルへのドローン攻撃や・紅海海上での「イスラエル支援国」の商船の拿捕などをくりかえしている。

これにたいしてネタニヤフ政権は、これらシーア派組織をバックアップするイランへの恫喝として、シリアで活動中であったイラン「革命防衛隊」幹部ムサビを越境ミサイル攻撃で殺害するという挙に出た（十二月二十五日）。イラン大統領ライシは「必ず代償を支払わせる」とネタニヤフ政権にたいして警告を発した。

さらにネタニヤフは、レバノンを拠点とするハマス政治部門ナンバー2（「カッサム隊」創設メンバーの一人）を含む幹部七人をドローンで爆殺（一月二日）した。そうすることによって、彼らをかくまってきたヒズボラ指導者ナスララ師にたいしても〝次はお前の番だ〟と警告を加えたのだ。この国家テロルにたいしナスララはただちに「復讐」を宣言した（三日）。

いまや「シーア派三日月地帯」の一帯に、イスラエルを包囲する反シオニズムの闘争が燃えあがろうとしているのだ。

このイランやその後ろ盾をうけたシーア派諸組織にたいして、〝イスラエルに手を出せば攻撃する〟と、地中海に配置した二個の空母機動部隊の砲口をつきつけているのが、イスラエルの最大の擁護者たるアメリカ帝国主義のバイデン政権にほかならない。

これにたいして、イランをこの一月をもってBRICS連合に加えることにも示されるように、イランとの結託関係をますます強化しているのが習近平の中国とプーチンのロシアである。

こうして、イスラエルを庇護するアメリカとイランを支える中国・ロシアとの角逐のもとで、中東全域を巻きこんだ新たな戦争勃発の危機が高まりつつあるのである。

C　南シナ海・台湾・朝鮮半島――戦乱の危機深まる東アジア

中国国家主席・習近平は、「中華民族の偉大な復興」という世界戦略にもとづいて、中華民族にとっての「核心的利益中の核心」とみなした台湾の併呑＝中国化をめざした攻勢を強めている。この中国と、これを抑えこむ軍事態勢の構築を――同盟諸国を総動員しつつ――おしすすめているバイデン政権とが激しく角逐し、戦乱勃発の危機を日々高めているのだ。

中国権力者は、「台湾海峡有事」にさいして米軍の来援部隊を粉砕しうる態勢を構築するために、またアメリカ帝国主義との対決をかまえていわゆるシーレーン(海上輸送路)を確保するためにも、南シナ海をば「中国の軍事要塞」としてうち固める策動に拍車をかけている。フィリピン政府と領有を争う南沙諸島・アユンギン礁の周辺において、フィリピンの船舶にたいし中国海警局の艦船が放水をくりかえしていることなどがそれである。いまや親米姿勢を鮮明にし、事実上の米比軍事同盟を復活させ、日本との軍事的連携をも強めつつあるフィリピンのマルコス政権。このマルコスのフィリピンを南沙諸島から叩きだすために、習近平は強硬策にうってでているのだ。

これにたいしてバイデン政権とマルコス政権とは、空母カール・ビンソン機動部隊とフィリピン海軍艦艇四隻などを投入して、中国に対抗しての南シナ海「海上合同パトロール」なるものを強行した(一月三〜四日。「合同パトロール」は昨年十一月につづいて二度目)。いま、南シナ海において一触即発の危機が高まっているのである。

台湾をめぐっては習近平政権は、一月十三日に投票が迫った台湾総統選を前にして、民進党候補・頼清徳(現副総統)を落選に追いこむための工作を強めている。すなわち一方では、空母「山東」艦隊による台湾海峡航行(十二月十一日)など、台湾人民にたいして〃「独立志向」の民進党政権継続なら中国の武力侵攻が近づく〃と印象づけることをねらった強硬策をくりひろげている。それとともに他方では、民進党政権のもとでの貧窮化の深まりにたいする労働者・人民の不満につけいって、〃中国本土との経済関係を維持したければ民進党に投票すべきでない〃と労働者・人民に知らしめるための術策を弄してもいるのだ(台湾産魚介類について中国政府がとっている本土への禁輸措置をめぐって、〃台湾独立に反対しさえすれば問題はすぐに解決する〃と台湾人民につきつけるなど)。

これにたいして、二〇二七年までに中国が台湾に武力侵攻すると予測をたてているアメリカのバイデン政権は、これを防ぎとめ・かつ「有事」となれば中国軍を撃滅しうるような軍事態勢の構築に躍起となっている。すなわち、「属国」日本の岸田政権を従えて、台湾にほど近い南西諸島上に、中国艦船をターゲットとしたミサイル網を集中配備する策動に狂奔しているのである。

こうしていま、南シナ海・台湾を舞台とする米―中の軍事的角逐は熾烈化している。これと軌を一にして高まっているのが、核・弾道ミサイル開発に突進する北朝鮮と、この北朝鮮にたいする合同の「核攻撃態勢」をとりつづける米・韓とが対峙する、朝鮮半島における戦乱勃発の危機にほかならない。

北朝鮮の金正恩は、昨年末に開催された朝鮮労働党中央委員会拡大総会（十二月二十六～三十日）において、十一月二十一日に初の軍事偵察衛星「万里鏡《マルリギョン》一号」を打ち上げたことを「壮挙」などと自賛し、さらに三基の衛星を打ち上げることを内外に宣言した。ウクライナ侵略をつづけるロシアへの一〇〇万発の砲弾提供と引き換えに入手した軍事偵察衛星技術やロケット打ち上げ技術を利用して金政権は、米本土や韓国・日本を見下ろす軍事衛星の追加配備および、これらを打撃する戦略・戦術核ミサイルの開発・配備へと突進しているのだ。この金正恩が尹錫悦の韓国を「敵対的な交戦国の関係に完全に固定した」（金正恩）と烙印したのは、韓国を核攻撃の対象とするということの宣言であって、熾烈化する米―中・露激突のなかでいまや金正恩が「南北統一」の戦略目標を投げ捨てたことを示しているのだ。

これにたいして韓国の尹錫悦政権は、北朝鮮の衛星打ち上げに対抗してみずからも初の偵察衛星を打ち上げる（十二月二日）とともに、「南北軍事合意の一部効力停止」を宣言し・これにもとづいて三八度線付近での対北朝鮮偵察・監視活動の再開にふみきった。この尹政権を、米韓軍事同盟のもとに深々と組み敷いているのがアメリカのバイデン政権である。米韓の権力者はいまや、「核戦略の企画と運用のガイドライン」策定に着手するとともに、今年八月に予定される米韓合同実動演習「乙支《ウルチ》フリーダム・シールド」をば史上初の「核作戦シナリオ」にもとづく演習として実施することを意志一致した（昨年十二月末の「核協議グループ」協議）。まさに両権力者は米韓軍事同盟をば、対北朝鮮（・対中国）の「核」軍事同盟として飛躍的に強化しようとしている。そしてこれを、日米軍事同盟とむすびつけ、岸田政権とともに「三角同盟」の構築に血眼となっているのだ。

帝国主義とスターリン主義との角逐のもとで引き裂かれ、朝鮮戦争と南北分断の悲劇を強制されてきた朝鮮半島の労働者・人民。この朝鮮人民は、現下の米―中・露〈新東西冷戦〉のもとでふたたび戦乱勃発の危機に叩きこまれているのである。

D　米―中・露角逐の現局面

およそ右のような東アジア情勢の激動は、二〇二二年二月二十四日に開始されたロシアのウクライナ侵略をまさに震源として、米―中・露〈新東西冷戦〉にはらまれた戦乱勃発の危機がここ東アジアにおいても爆発寸前まで高まっていることをまざまざと示している。

プーチン・ロシアによるウクライナ全面侵略――これこそは、ウクライナ国家を解体しロシア連邦のもとにくみこみ、民族とそのアイデンティティそのものを抹殺することをねらった世紀の暴虐にほかならない。

それは、スターリン主義ソ連邦崩壊という現代史の結節点との関係でいえば、このソ連邦崩壊にともなう旧ソ連構成国の独立ならびにそれ以降の「NATO東方拡大」という事態を、まさにプーチン的に〝卓袱台がえし〟しようとするという歴史的に重大な意味をもっている。

一九九一年のソ連邦崩壊以降、KGB出身のプーチンは、ソ連の国有財産を簒奪し巨万の富を築きあげた。このプーチンやFSBの官僚どもは、――「一国社会主義」を根幹とするスターリン主義イデオロギーは完全に投げ捨てたとはいえ――FSBが政治・軍事・経済の隅々に配下の者を送りこみ支配するという、崩壊以前のスターリン主義ソ連邦の時代と酷似した政治支配体制（FSB強権体制）を構築してきた。この体制の表看板として君臨してきたプーチンは、ソ連崩壊後着々と進められてきたEUとNATOの「東方拡大」、そして旧ソ連邦構成国において元スターリニスト官僚の「独裁者」が人民の決起で打ち倒されたいわゆる「カラー革命」の続発に怯えながら、二〇〇八年のジョージア侵攻を皮切りとして・かつての「大国ソ連」の版図を復活させようと狂奔しだした。この「スターリンの末裔」プーチンによる、米欧帝国主義への怨念と・ロシア正教で粉飾された「大ロシア主義」とにもとづく世紀の犯罪こそが、ウクライナ侵略なのである。

他方、習近平を頭とする中国は、二十一世紀半ばまでに「アメリカをしのぐ社会主義現代化強国」となり「世界の中華」にのしあがる、という世界戦略にもとづいて、破産国プーチン・ロシアと結託をはかりつつ、〝帝国主義に削られた版図〟をとりもどすための強硬策や、「冊封」的な国家間関係の構築にいっそう拍車をかけている。ソ連邦の崩壊を「他山の石」とし、「資本主義を恐れず利用せよ」と訓示した鄧小平の敷いた路線を歩む、ネオ・スターリン主義国家中国の頭目・習近平。だがその足元の「擬似資本主義」的な国内経済は、いまや不動産バブルの崩壊に示される危機にゆらいでいる。

これにたいして、ソ連邦崩壊以後に――本質的には〝共倒れ〟でありながら――「一超」になりあがり暴虐の限りを尽くしたかつての軍国主義帝国アメリカは、いまや中国の猛烈なキャッチアップを前に没落と老衰をあらわにしている。もはや独力で中・露の挑戦をはねかえす力を喪失して久しいこのアメリカのバイデン政権は、「専制主義にたいする民主主義の戦い」なる旗印のもとに日・韓・豪・NATO諸国などの同盟国をかき集めて軍事的・政治的・経済的に対抗している。

「大ロシア主義」にとりつかれたかつてのスターリン主義者プーチンと、ネオ・スターリン主義者たる習近平、この両権力者が強行しだしたいわゆる「力による現状変更」と、これにたいするかつての「一超」帝国アメリカ・バイデンのまきかえし――これが現在の米―中・露対決の構図なのである。

そしてこの米―中・露の角逐のまっただなかで、アメリカ帝国主義国家と「運命共同体」的に一体化しつつ、「アメリカとともに先制攻撃を担いうる軍事強国への飛躍」へと突き進んでいるのが、安保の鎖でアメリカに締めあげられた「属国」日本の岸田政権にほかならない。

Ⅱ　断末魔・岸田政権のウルトラ反動攻撃

一月一日に発生した能登半島地震（マグニチュード七・六）によって、二二八人もの人びとが命を奪われ（安否不明者は一九五人）、孤立集落に二三〇〇人の人びとが取り残され、二万八〇〇〇人が避難生活を強いられている（一月七日時点）。数多くの被災者が、生活再建のめどが立たないなかで助け合いながら日々を生きぬいている。

この大災害にさいして首相・岸田のとった対応は、あまりにも反人民的なものである。

この男は一月一日当初、意気揚々として記者団の前にあらわれ、「私が本部長を務める非常災害対策本部を設置した」などと自己アピールにこれつとめた。岸田の関心は〝これで「政治資金パーティー」という問題から国民の関心をそらすことができる〟という点にのみあったにちがいない。

この「対策本部」なるものは、だが、被害の甚大さが日々あらわとなるなかにあっても、自衛隊による支援拠点の構築も、孤立した集落の通信網の回復も、何もおこなわなかった。自衛隊の投入は当初わずか一〇〇〇人、これが四〇〇〇人に増員されたのは「人命救助のタイムリミット」といわれる七十二時間を過ぎてからであった。そもそも岸田は現地の状況をみずからつかむための視察さえおこなわず、代わりにやっていたのは経団連への新年のあいさつ回りであった。「裏金問題」への労働者・人民の怒りに包まれ火だるまになったいまもなお「パーティー券収入」の取得をたくらんでいるからこそ、震災発生のもとでさえ独占ブルジョアへのあいさつに余念がなかったのが岸田なのだ。

北陸電力志賀原発では外部電源の故障が発生し、核燃料冷却が不能となりかねない危機が発生したにもかかわらず、岸田はこのことを隠蔽し、「異常なし」とデタラメを流しつづけた。原発再稼働をあくまでおしすすめるためにである。あまつさえ岸田は、防災服姿でおこなった記者会見においてぬけぬけと「憲法改正の実現にむけた最大限の取り組みも必要」などと言い放った（一月四日）。そうすることで、この大地震をも「緊急事態条項」創設に利用するという腹の内をのぞかせたのが岸田であったのだ。

いわゆる政治資金疑獄問題をめぐる労働者・人民の怒りに包囲された岸田は、震災をめぐるこのデタラメな対応によってさらに労働者・人民の集中砲火を浴びているのだ。

断末魔の岸田政権は、だが既成反対運動指導部の底なしの腐敗に助けられながら、憲法改悪（第九条の破壊と「緊急事態条項」の新設）、日米軍事同盟の対中国攻守同盟としての強化、さらに日本型ネオ・ファシズム支配体制強化という反動総攻撃を人民の頭上にうちおろしている。「台湾の中国化」策動を強化する習近平中国、そして軍事衛星・弾道ミサイルの開発・配備に狂奔する金正恩の北朝鮮を眼前にして、〝台湾有事・朝鮮半島有事は近い〟との危機意識をたかぶらせながら、〈戦争をやれる国〉への飛躍に血道をあげているのだ。

昨年末の十二月二十八日、岸田政権（国土交通相・斉藤鉄夫）は、沖縄県辺野古への米海兵隊新基地建設のための埋め立て工事「代執行」をついに強行した。燃えあがる沖縄の労働者・学生・人民の「辺野古新基地建設反対」の怒りの声をふみつけにし、強権をふるいながら岸田政府は、今月にも辺野古大浦湾に計七万一〇〇〇本の砂杭の打ち込みを開始しようとしているのだ。これこそ、岸田政権のネオ・ファシズム反動攻撃いがいのなにものでもない。

同時に岸田政権は、バイデンのアメリカとともに、中国による「台湾侵攻」を阻止する軍事態勢を構築することに血眼となっている。中国軍艦船を粉砕しうる「ミサイルの壁」を南西諸島に築きあげるために、射程一〇〇〇キロメートルを超える国産の長射程ミサイルたる「12式地対艦誘導弾・能力向上型」の開発を急ぐとともに、巡航ミサイル「トマホーク」二〇〇発を来年度にもアメリカから購入・配備しようとしているのだ。

　こうした日本国軍の飛躍的増強のために岸田政権は、一月末開会予定の次期通常国会で通過をねらう二四年度予算案に、過去最大・七兆九四九六億円もの莫大な軍事予算を計上した。岸田政権はこれを含めて二三〜二七年度の五年間で四三兆円という巨費を軍備増強に投じようとしているが、この数字すらも、円安の進行と米政府・軍需産業による兵器価格つり上げとによってますます膨れ上がることはまちがいない（この「四三兆円」とは「一ドル＝一〇八円」のレートでの試算とされる）。このような空前の軍事費を岸田政権は、「防衛増税」という名の人民からのむしりとりと社会保障費の削減によってまかなおうとしている。生活苦にあえぐ労働者・人民を、さらなる貧窮のどん底に突き落とそうとしているのだ。

　さらに岸田政権は昨年十二月二十二日、「防衛装備移転三原則」とその運用指針の改定を閣議決定した。その柱の一つは、他国企業から許可を得て国内で生産する「ライセンス生産品」について、ライセンス元の国への完成品の輸出を全面解禁することにある（従来はアメリカ企業がライセンス元である場合にのみ、部品にかぎって輸出可とされていた）。この改定指針を〝適用〟して政府は即日、アメリカへの地対空誘導弾パトリオットの輸出を決定した。岸田政権は、〈戦争をやれる国〉にふさわしく「継戦能力」（兵器やその部品および弾薬を継続的に供給する能力）を獲得してゆくために、政府主導で軍需産業を振興し・もって軍需生産基盤を構築することをねらって、この指針改定にふみきったのだ。このことは、アメリカの「属国」にふさわしく、アメリカ（およびその同盟国）の兵器生産を補完する「米製兵器の兵器工場」の役割を日本が果たしてゆくという意味をももっている。

　アメリカと一体となって戦争をやれる軍事強国へと日本を飛躍させる策動の総仕上げとして岸田政権がたくらんでいるのが、憲法第九条の改定と「緊急事態条項」の創設とを柱とした、日本国憲法の明文改悪にほかならない。次期通常国会において岸田自民党は、日本維新の会および国民民主党を従え、改憲原案の憲法審査会提出にこぎつけようと躍起となるにちがいない。

この岸田自民党のうちおろす憲法改悪の攻撃こそは、米―中・露激突下の現代世界において〝先制攻撃システムを備えたネオ・ファシズム国家〟へと日本を改造するために・その最高法規を策定するという意味をもつのである。

〈戦争をやれる国〉づくりの諸政策にたいする労働者・人民の反対闘争を抑えこむために岸田政権は、ネオ・ファシズム的な支配体制の強化に狂奔している。

岸田政権は昨年末の臨時国会の最終日に、「国立大学法人法」改定案の参院本会議採決を強行し成立させた(十二月十三日)。これこそは、「いわば防衛力そのものとしての防衛生産・技術基盤」(「国家安全保障戦略」)の確立を国家総力戦で遂行するという国家戦略にもとづいて、大学をば軍事研究・国策研究の拠点へとつくりかえるとともに、これに反対する教員・研究者を大学から追放するという〝一個二重〟の狙いをこめた反動法にほかならない。まさに岸田政権は、国立大学（だけでなく公立・私立も含めた全大学）を、政府・文科省の支配のもとに組み敷くという、高等教育のネオ・ファシズム的再編に狂奔しているのだ。

この岸田政府・文部科学省ならびに警察権力の指令をうけた愛知大学の反動当局が、自治会委員長ら三名にたいする「反戦デモ参加」を理由とした「退学」処分攻撃(二三年九月十五日)を、さらには学生自治会「非公認」・先進的サークルの「無期限活動停止」という極反動攻撃(十一月七日)をうちおろしてきた。これこそは、自治会が反戦運動をおこなったり、サークルが批判精神にもとづく研究にとりくんだりすることそのものを、その反政府的な内容・質を理由として禁圧するという、まさに治安維持法型の弾圧がキャンパスで開始されたことを告知したものにほかならない。そのようなものとしてそれは、政府・文科省が国立大学法人法の改悪をテコに全国大学の教職員・学生にたいしてうちおろそうとしている「現代のレッド・パージ攻撃」の先駆けをなすのである。

Ⅲ　既成反対運動の死滅と全学連の闘い

岸田政権が日本を〈戦争をやれる国〉に改造するための極反動攻撃に血道をあげているこのときに、日本共産党の志位指導部はいったい何をやっているのか。彼らは、この岸田政権の諸攻撃に反対するいっさいの大衆的闘いを放棄しさっている。昨年の臨時国会最大の反動法案というべき国立大学法人法改定案の参院文教委員会採決（十二月十二日）という決定的局面にあっても、国会前における日共系の部分を動員しての闘争をまったくおこなわないという対応をとったのが彼ら代々木官僚だったのだ。

それればかりではない。十月に開始されたイスラエルのガザ侵攻に反対する種々の大衆集会が大きな規模でとりくまれているにもかかわらず、代々木官僚は「全労連」傘下の労働者も、日共系市民団体もまったく動員しないという異常な対応をとっている。彼らは党として『赤旗』紙上で「即時停戦に向けての各国政府への要請」を掲載しているだけなのだ。

いっさいの大衆闘争から逃亡するこの日共官僚を弾劾しのりこえて、大軍拡・改憲阻止の闘いや辺野古新基地建設阻止の反基地闘争、さらにはガザ人民ジェノサイド弾劾闘争、ウクライナ反戦の闘いなどを、キャンパスで・街頭で雄々しくくりひろげてきたのは、戦闘的・革命的労働者と連帯してたたかう全学連の学生たちにほかならない。十月に開始されたイスラエルのガザ侵攻・人民虐殺にたいしては、全学連の学生たちは怒りをたぎらせて、イスラエル大使館やアメリカ大使館、さらに全国各地の米領事館にたいして、波状的な抗議闘争をくりひろげた。

さらにたたかう学生たちは、「愛知大学当局による『反戦デモ参加で退学処分』撤回」「愛大自治会・サークルつぶし反対」の闘いを、「国立大学法人法」改悪反対の闘いと一体で、全国のキャンパスにおいて怒濤のように推進し、巨大なうねりをまきおこしてきたのだ。

Ⅳ　革命的反戦闘争の爆発をかちとれ

A　反戦闘争から逃亡する日共指導部を弾劾せよ

（1）すでにみたように代々木官僚は、岸田政権がうちおろす安保強化・大軍拡・改憲の一大攻撃にたいして、大衆的な反対運動の組織化を放棄している。このことじたいが、断末魔にあえぐ岸田政権の延命に裏から手を貸すに等しい、許しがたい犯罪ではないか。

このように彼らが反対運動の放棄をきめこんでいるのは、代々木官僚が一月十五〜十八日開催の第二十九回大会を前にして、結党以来最大というべき党的危機にあえいでいるからにほかならない。

代々木官僚どもは、来たる党大会そのものが志位和夫ら中央官僚にたいする批判噴出の場となりかねないことに戦々兢々となっている。

すなわち彼らは、党大会の二ヵ月前に開かれた十中総（第十回中央委員会総会、十一月十三〜十四日）において、党員のリコール要求の的になっていた志位をば第二十九回大会をもって委員長職から外すことを党内外に示したのであった――通常は委員長がおこなう大会議案の読みあげと結語を、副委員長・田村智子におこなわせることによって。

だがしかし、そのような官僚的自己保身にもとづくガス抜きによっては、「党首公選制」を求める党員たちの代々木官僚たちへの反発はまったくおさまることを知らない。こうした党内力学に直面した中央官僚どもがうちだしたのが、「除名処分された人物による党大会かく乱策動について」（『しんぶん赤旗』十二月一日付）なる「組織局長」名の文章であった。そこにおいて党官僚は、直接には、「安保堅持」「党首公選制」を唱えて日共を「除名」（昨年二月）された松竹某が、代議員のなかに密かに同調者をつのって大会で「反中央」を噴きあげさせようとしているとして、この松竹に同調せぬよう下部党員にむかって叫びたてている。

　だがしかし党内には、わがたたかう学生・労働者が学園で、そして職場でくりひろげてきた、代々木官僚を弾劾するイデオロギー的＝組織的闘いにゆさぶられ、革命的左翼に共感を寄せる党員たちが数多くいる。

　この左右から挟撃された代々木官僚どもが発した「組織局」声明なるものは、〝大会で中央を批判する者はすべて、反党分子への同調者＝かく乱者とみなす〟という、官僚としての悲鳴にも似た恫喝にほかならないのである。

　自民党や自衛隊ともねんごろにしているスパイ分子＝松竹による右からのぶっかきに呼応するかたちで、「安保堅持を明確にせよ」「党首を公選にせよ」と唱える部分。ロシアのウクライナ侵略をめぐって「ロシアよりＮＡＴＯを批判せよ」と喚きあげるオールド・スターリニスト。そして、党官僚による「安保廃棄の廃棄」「自衛隊活用論」「ウクライナ反戦闘争の放棄」などを批判してきたわが革命的左翼のイデオロギー的＝組織的闘いにゆさぶられた部分。これらが下部党員・代議員の中に広範に存在し、党中央への不満・批判にみずからが三方・四方からさらされていることに、代々木官僚は周章狼狽しているのである。

　このような党そのものの分裂・分解状況のゆえにこそ、日共中央は大衆運動ひとつまともにとりくむことができないのだ。

　来たる第二十九回党大会は、日共ネオ・スターリニスト党の最末期をさらけだす祭典となるにちがいない。ウクライナ問題や安保・自衛隊問題にかんする志位指導部の犯罪的対応や、「全労連」系の労組員にたいして彼らが言い放った「市民運動は掛け布団、労働運動は敷き布団」などという言辞。これらを根底的に批判するわが革命的左翼のイデオロギー的＝組織的闘いの貫徹によって、いまや日共党組織は音をたてて崩壊しつつある。この党はいま、日本プロレタリアートへの犯罪と裏切りに満ちみちたその一〇二年の党史の〝終焉〟をむかえているのである。

　いまこそ、心ある日共党員・活動家にたいして、わが革命的左翼とともに反戦反安保・改憲阻止闘争、ウクライナ反戦闘争、ガザ侵攻弾劾闘争などに決起すべきことをうながし、革命的反戦闘争の爆発をかちとろうではないか！

（2）右にみたように今日の日共官僚はあらゆる大衆闘争を基本的に放棄しているのであるが、彼らの「第二十九回大会決議案」のなかにみられる「大軍拡反対・辺野古新基地反対・改憲反対」の課題をめぐる情勢認識と方針について、以下ではそれらの特徴を明らかにしつつ批判を加えておこう。

まず、その情勢認識上の特徴は、「アメリカいいなりの『戦争国家づくり』」、辺野古新基地建設については「タガがはずれた『米軍基地国家』の異常」、「〔憲法改悪は〕対米従属のもとでの『戦争国家づくり』にとってのあらゆる制約を取り払うことにその目的が置かれている」というように、岸田政権がうちおろす諸攻撃の〝対米従属〟性を強調していることにある。そして、これらの諸攻撃の「〝震源地〟は日米軍事同盟」と言いだしていることである（ここ最近、「震源地はアメリカ」との表現はとられはじめていたが、今回「震源地」は「日米軍事同盟」とされた）。

こうした表現をも用いながら「日米軍事同盟」の問題を代々木官僚がにわかに強調しだした政治的動機、それは明らかに、「安保堅持」を明確にせよと党中央に迫る松竹やその一派とみずからとの〝区別〟をおしだすことによって、「安保廃棄が日共の党是である」といまだに信じている党員をつなぎとめることにあるといえる。

だが、代々木官僚が――一九八〇年代の日共の「根源に打撃を与える平和運動」を想起させるような「震源地」なる表現を用いて――開陳しはじめたこの主張は、実のところ、日本政府の安保・外交政策が「アメリカいいなり」で自主性がないことの要因（＝〝震源地〟）には「日米軍事同盟」がある、ということを主張する類のものにすぎない。それは、岸田政権の動向を真面目に分析することをつうじて明らかにされたものでは決してない。むしろ、〝日本政府がもっと自主性を発揮すれば、軍事同盟が存在するもとでも平和外交をおこなうことは可能だ〟という彼らの積極的な主張を基礎づけるために、つまるところ現存の日米安保には手を触れないことを裏から主張するためにこそ、「震源地は日米軍事同盟」論を開陳するというペテンいがいのなにものでもないのである。

一つ例をあげよう。破廉恥にも代々木官僚は、「核兵器禁止条約も、軍事同盟からの脱退をその参加の条件にしていない」と称して、日米軍事同盟の現存のもとでも「核抑止」から抜けだすことができる、などと主張している。

だが、妄言を垂れ流すのはやめよ！　日米共同声明などにおいてアメリカの日本への「拡大抑止」（「核の傘」）の提供が宣言されていること一つとっても明白なように、日米軍事同盟とはまさしく「核」軍事同盟にほかならない。このゆえに日本政府は決して「核兵器禁止条約」を批准しないのだ。彼ら代々木官僚がやっているのは、日米軍事同盟の核軍事同盟としての本質を隠蔽し、むしろそれへの幻想を煽りたてることではないか。

要するに、代々木官僚は松竹派との対抗のために「日米軍事同盟＝〝震源地〟」論を唱えはじめたのであるが、その「反安保」の姿勢はまったくの見せかけであって、松竹と五十歩百歩の超・右翼的な日共の政策的代案（日米軍事同盟の現存のもとで平和外交をおこなうということ）を基礎づけるための〝分析〟にほかならないのである。まさにこれこそ、追いつめられたネオ・スターリン主義者の姑息な党内操作術いがいのなにものでもないではないか！

同時に、このように代々木官僚がおのれの代案の基礎づけのための分析ならざる〝分析〟に陥るのは、情勢分析と方針とを二重うつしにするという伝統的な誤謬をいまだ護持しつづけているからでもある。このことも暴露しておこう。

代々木にたむろしているネオ・スターリン主義者たちもまた、伝統的なスターリン主義者と同様に、対象分析（直接的には情勢分析）と任務方針とを二重うつしにして展開するという「情勢分析＝党の任務」という誤謬に陥っている。彼らが情勢分析と党の任務・要求を二重うつしにしてしまうのは、対象的現実の法則性そのものの分析的認識と、この法則性を変革するための実践的指針との関係が――スターリン法則論の誤謬が今なおなんら自覚されていないことのゆえに——捉えられていないことにもとづく。まさにこのことのゆえに、彼らは、現実的諸矛盾の対象的確認とその実践的解決とを客体的に並存させることによって、現実的諸矛盾を解決するための実践そのものを解明するという問題も客体化してしまう。それとともに、この解明を階級闘争がくりひろげられている歴史的現実そのものを対象的に分析するという問題にすりかえてゆくことになるのである。

われわれはこうした革命的左翼が明らかにしてきたスターリニストの哲学的誤謬にたいする批判を武器にして、最末期のネオ・スターリニストどもにたいする革命的な弾劾をさらに容赦なく放ってゆくのでなければならない。

（3）代々木官僚は、彼らいうところの「日米軍事同盟」を「震源地」とした「異常な対米従属」を「打破」するための方針として、「二重のとりくみ」なるものをうちだしている。——その第一は、「緊急の課題の実現」のために「日米安保条約に対する賛成・反対の違いを超えて」「協力してゆくこと」であり、第二は「日米安保条約を廃棄して、対等・平等・友好の日米関係をつくるための党としての独自の努力」なのだという。

この「二重のとりくみ」の「第一」で日共官僚が公言していることからしても明らかなように、彼らは大軍拡反対・辺野古新基地反対などの闘争方針上で「反安保」を投げ捨てているのだ。だがいうまでもなく、岸田政権がバイデン政権とともにおしすすめる辺野古新基地建設、南西諸島のミサイル基地化、大軍拡の策動そのものが、日米軍事同盟を対中国の攻守同盟として飛躍的に強化する攻撃にほかならない。したがって、これらの攻撃を前にして、「緊急の一致点での共同を広げる」という名において「反安保」を投げ捨てるのは、きわめて無力であるばかりか犯罪的なのだ。そこには、日米軍事同盟の強化をうちくだく主体的な力をいかに創造するかというアプローチが百パーセント欠落しているのである。

このように「安保条約の是非を超えた共同」という従来の主張をくりかえしているにもかかわらず代々木官僚は、松竹一派とみずからとの区別性をおしだすために、「二重のとりくみ」は「相乗的にすすむ」（?）などと称して、「緊急の課題を実現することは、客観的には、日米安保条約廃棄の国民的多数派をつくる条件を広げることにもなる」とことさら強調することに躍起になっている。

だがしかし、「緊急の課題」を実現するための方針から「反安保」を欠落させておいて、どうやって「日米安保条約を廃棄」しなければならないという自覚を労働者・人民にうながすことができるというのか。「客観的」などという、スターリン法則論に慣れ親しんだネオ・スターリン主義者には耳あたりの良いフレーズをあえて使っているのは、下部党員をだまくらかすためのまったくのレトリックにすぎない。それは、現在的場所においてある代々木官僚（および党員）が・誰にたいして・いかに「安保廃棄」の自覚をうながすのかという問題を意図的に欠落させたものなのであって、代々木官僚が松竹一派と〝同じ穴のムジナ〟であることをおしかくす姑息な狙いにもとづくものでしかないのだ。

代々木官僚が「二重のとりくみ」の「第二」＝「党としての独自の努力」としてめざすとしている「安保廃棄」なるもの、その内実もまた、彼らじしんが「対等・平等・友好の日米関係をつくる」とも言いかえているように、あくまでも将来における日本政府の政策選択の問題とされている。それは、かつての彼らの「安保廃棄」（＝「反帝」）を廃棄したものいがいのなにものでもないのである。

だがしかし、日米安保条約とは、日米軍事同盟およびその法的根拠をなす日米安保条約とは、日本帝国主義国家存立の屋台骨をなしているのであって、その破棄は、労働者階級の巨大な階級的団結とそれにもとづく闘争によってのみかちとることができるのだ。日米軍事同盟および現存日本国家そのもののブルジョア階級的本質をまったく没却しているがゆえに代々木官僚は、労働者階級・人民に「安保破棄」の階級的自覚をいかにうながしていくかという問題も完全に彼岸のものとしてしまっているのだ。こうした志位を筆頭とする代々木官僚どもの「安保廃棄の廃棄」こそが、松竹とその一派をうみだす党組織の腐敗した土壌をつくりだしてきたのである。

（4）最後に、委員長・志位が党大会前にアジア諸国を歴訪して宣伝してまわってきたという、「外交ビジョン」と銘打った外交政策上の代案の反プロレタリア性について触れておこう。「ASEAN一〇ヵ国＋八ヵ国——日本、中国、米国、韓国、オーストラリア、ニュージーランド、インド、ロシアによって構成される東アジアサミット（EAS）」をば「地域の平和の枠組み」などと言いなし、その「活用・発展」によって東アジアに「平和」を創出するというのがそれである。〔「緊急の課題での協力」なるものは、この「外交ビジョン」を政府にのませるためのいわば圧力手段として位置付けられているわけである。〕

このように「EAS」がげんに「平和の枠組み」として存在しているなどと代々木官僚が主張するのは、政治的には、日共が「安保廃棄」を廃棄していることをおしかくすとともに、中国にたいする「覇権主義」という非難をも——それがゴリ・スタ党員からの反発を買っているがゆえに——ウヤムヤにするという底意にもとづいている。

こんにち、中国がロシアと結託して東シナ海や西太平洋での軍事行動をくりかえし、これにたいして米・日も南西諸島をミサイル要塞化するかたちで対抗している。米・日—中・露の諸国家が東アジアを舞台にして——ASEANを草刈り場としながら——ぶつかりあっている趨勢。これを代々木官僚はいわば日共的に〝利用〟して、これら諸国を〝包摂〟する「枠組み」を発展させることが平和の創出につながるなどと説き、そうすることで彼らの〝鬼門〟である「安保を廃棄するのか・堅持するのか」の問題も「中国は社会主義なのか・覇権主義なのか」の問題もスルーすることをねらっているのである。

だが、そのような政治的なたくらみにもとづいてEASをば「平和の枠組み」だなどと美化的に意味付与することは、断じて許されるものではない。それは認識論的には、EASという国際的な政治的「枠組み」をば、その構成実体たる諸国家権力者およびその国家意志・イデオロギーからきりはなし、これじたいを実体化したうえで、この実体化された「枠組み」が米・日、中・露の権力者の行動を縛るとみなすという、まさに錯乱の極みというべき誤謬の産物なのだ。

こうした倒錯に裏打ちされた「ＥＡＳの発展によってアジアに平和を」なる代案、その犯罪性はなによりも、現下の東アジア戦乱の危機を突破する労働者・学生・人民の反戦闘争の創造という核心問題を完全に放擲していることにある。

いうまでもなく米・日の権力者は、現代中国をば「最大の戦略的挑戦」とみなし、これに対抗してブルジョア支配階級の階級的な経済的・政治的利害を貫徹するためにこそ、帝国主義階級同盟としての日米軍事同盟を強化している。これにたいして中国の権力者もまた、ネオ・スターリン主義党＝国家官僚としての党派的・官僚的諸利害を貫徹するために、〝世界の中華〟にのしあがるという世界戦略にもとづいてアメリカ帝国主義への挑戦を強めている。

このような米日帝国主義と中国ネオ・スターリン主義の熾烈な角逐、そのもとで高まる戦乱勃発の危機を突き破るためには、米・日と中国のそれぞれの権力者に支配されている労働者・勤労人民が国境を超えた団結を創造し・これにもとづく反戦の闘いを創造するいがいにない。それゆえにわれわれは、ここ日本の地において、「台湾併呑」をねらう中国権力者の強硬策に断固反対するとともに、これにたいしてバイデン政権と岸田政権とが日米軍事同盟にもとづき対抗していることにも反対し、高まる戦乱の危機を突き破る〈反戦〉〈反安保〉の闘いをこそ創造しなければならないのである。

Ｂ　反戦反安保・改憲阻止、ウクライナ反戦、ガザ人民虐殺弾劾の闘いの前進を

すべての全学連のたたかう学生諸君！　戦闘的・革命的労働者のみなさん！

われわれはいまこそ、「反安保」を完全放棄した日共中央を弾劾しのりこえ、岸田政権による日本を〈戦争をやれる国〉に改造するための総攻撃を粉砕する闘いの爆発をかちとるのでなければならない。

これと同時に、〈プーチンの戦争〉をうちくだく

ウクライナ反戦の闘いを、さらにネタニヤフのガザ人民ジェノサイドを弾劾する闘いを推進するのでなければならない。そして、いっさいの闘いを「岸田反動政権打倒」の旗のもとに集約し、岸田日本型ネオ・ファシズム政権を労働者・学生の力で打倒するのでなければならない。

能登半島地震の被災者を見殺しにする首相・岸田の反人民的対応を怒りをこめて弾劾せよ！

地震発生翌日の一月二日に、岸田政府が自衛隊を一〇〇〇人しか派遣しなかったことのゆえに、いったいどれほどの「助かる命」がみすみす失われていったのか（二〇一六年の熊本地震のときでさえ発生翌日に一万五〇〇〇人を投入。岸田はその十五分の一しか投入しなかったのだ）。倒壊した建物の瓦礫の下で助けを求める人びとの叫びも、それを眼前にしながら助けることもできない家族の無念の声も何ひとつ聞かず、独占ブルジョアとの新年会にうち興じていたのが岸田ではないか！

多くの人びとが、孤立化した集落で、避難所で、助けを待ちながら生きているこのときに、岸田はいまだ自衛隊による支援拠点構築やライフライン回復もろくにおこなわず、彼らを寒風と積雪のなかに置き去りにしている。まさに棄民いがいのなにものでもないではないか！

みずからは独占ブルジョアからの献金で金まみれとなりながら、軍事費には人民からむしりとった血税を投入したうえに、被災した人民を見殺しにする極悪非道の岸田政権。われわれはこの、反人民性・ブルジョア階級性をむきだしにした岸田政権を労働者・学生・人民の力でなんとしても打ち倒すのでなければならない。

すべての全学連の学生諸君！　全国の大学キャンパスで怒りの闘争に起て！　24春闘をたたかう戦闘的・革命的労働者たちと連帯して、日本列島をつらぬく革命的反戦闘争の火柱をまきおこせ！

日本の大軍拡・改憲阻止！　辺野古新基地建設阻止！　米―中・露激突下の戦乱勃発の危機を突き破れ

われわれは、熾烈化する米―中・露激突のもとで、

＜軍国日本＞への跳躍のために岸田政権がうちおろす空前の大軍拡を、そして憲法大改悪を、木っ端微塵に粉砕するのでなければならない。

許しがたいことに首相・岸田は、震災対応の記者会見のなかで「憲法改正に最大限の努力をする」などとほざいた。命の危険に直面していた被災者を見捨て・見殺しにしながら、この岸田は、今回の震災を「緊急事態条項」創設のために利用することだけは忘れなかった。この岸田政権による憲法改悪の策動を絶対にうちくだくために、全国の学生はいまこそ起ちあがれ！

「戦力不保持・交戦権否認」をうたう現行憲法第九条の改悪阻止！　「緊急事態条項」の創設反対！次期通常国会への「改憲条文案」の提出を阻止せよ！

岸田が能登半島地震被災地に自衛隊をわずかしか投入せず被災人民を見殺しにしているのは、対中国・対北朝鮮の臨戦態勢を強化するためではないのか！　この岸田が、莫大な軍事費を投じて日本の大軍拡に走ることなど許せるか！　日米共同の先制攻撃体制の構築に断固反対せよ！　沖縄・南西諸島の「ミサイル要塞」化を許すな！　米製巡航ミサイル「トマホーク」の大量購入・配備を許すな！　自衛隊＝日本国軍の増強と、米軍へのさらなる一体化に反対せよ。対中国戦争計画にもとづいた米日両軍の軍事演習反対！

辺野古新基地建設を実力阻止せよ！　岸田政府は、一月十二日にも大浦湾埋め立て工事を強行しようとしている。決戦のときは今だ。たたかう労働者とともに反基地闘争の先頭にたつ沖縄県学連のたたかう学生は、工事を実力で阻止するために闘いに起て！この闘いに全国の学生も合流せよ！

このかん、政府・権力者が「ミサイル基地」化をたくらむ対中国の最前線たる「基地の島オキナワ」において、反基地・反安保闘争を戦闘的に領導してきたのが沖縄のたたかう学生たちにほかならない。彼らは、全国からの派遣団とともに、11・23県民平和大集会を戦闘的に塗りかえるために奮闘した。十月には、日米統合演習を阻止するために米海軍ホワイトビーチのゲート前に座り込み、弾薬搬出を実力阻止する闘いをくりひろげた。沖縄の反基地闘争の先頭でつねに真紅の旗をひるがえし、体を張ってたたかいぬいてきた県学連は、その力を結集して大浦湾埋め立て工事阻止闘争をたたかうのでなければならない。この県学連とともに、全国のたたかう学生は新基地建設粉砕の反基地・反安保闘争のうねりをまきおこせ！

岸田政権はバイデン政権と「運命共同体」的に一体化しながら、「同盟という公益」をふりかざし、強権性・ファシズム性をむきだしにして辺野古新基地建設に突進している。われわれは、辺野古新基地建設の攻撃を粉砕するために、「反安保」「反ファシズム」の旗を高く掲げるのでなければならない。

こんにちイギリス、オーストラリア、韓国、フィリピンなどのアメリカ同盟国と日本とのあいだで、日米安保条約のような国際法的根拠がないにもかかわらず、権力者同士の一片の合意で事実上の軍事同盟関係が構築されている。これこそ、日本の岸田政権がバイデン政権の先兵となって対中国の軍事的包囲網形成の旗振り役を担っていることを示すものである。いまうちおろされているのは日米軍事同盟の対中国「グローバル同盟」としての強化の攻撃なのであって、いまこそわれわれは「日米グローバル同盟反対！　アジア太平洋版NATO構築反対！」の旗幟を鮮明にするのでなければならない。

＜基地撤去・安保破棄＞めざしてたたかおう！

同時にわれわれは、日米両帝国主義による先制攻撃体制構築に対抗して、中国の習近平政権が台湾近海、東・南シナ海で強行している威嚇的軍事行動に断固として反対するのでなければならない。「台湾の中国化」をねらった中国の強硬策反対！　中国の核戦力大増強に反対せよ！　ネオ・スターリニスト官僚専制体制の抑圧下で呻吟する労働者・勤労人民にたいして、自国政府の戦争政策に反対し決起すべきことを訴えよう！

米・日—中の台湾を焦点とした相互対抗的軍事行動に反対せよ！　米—中・露の核戦力強化競争反対！

朝鮮半島における新たな核戦争の勃発を絶対に阻止せよ！　米・日・韓—北朝鮮が相互に強行する威嚇的軍事行動に反対せよ！　米日韓三角同盟の「核軍事同盟」としての再構築・強化反対！　労働者・

人民を飢餓に突き落としながらミサイル開発に突進する北朝鮮・金正恩政権を弾劾せよ！

米・日と中・露との激突のもとで、プーチン・ロシアに抱きかかえられた北朝鮮・金正恩は、「南北統一」を投げ捨て、「敵国」とみなした韓国への核攻撃態勢をとっている。これに対抗して韓国・尹錫悦もまた、米・日権力者とともに対北朝鮮「核軍事同盟」の強化に狂奔し、先制攻撃の態勢を強めている。米・日と同盟を強化する韓国と、ロシア・中国に支えられた北朝鮮の両権力者によって、南北朝鮮の労働者・人民はいまふたたび引き裂かれ、そして戦争勃発の危機に叩きこまれている。まさにそれは、南北に引き裂かれ分断国家のもとにおかれてきた朝鮮人民の新たな悲劇いがいの何であるか！　いまこそ反スターリニストであるわれわれは、朝鮮人民にたいして、自国の好戦的権力者による戦争政策に反対し・三十八度線を超えて団結し起ちあがるべきことを訴えようではないか。「南北朝鮮のプロレタリア的統一をめざしてたたかおう」――この革命的呼びかけを彼ら朝鮮人民に発しようではないか！

岸田政権は、「五年間で四三兆円」、いやそれ以上の巨額の軍事費を捻出するために、狂乱的インフレ・実質賃金切り下げによって生活苦にあえぐ労働者・人民からさらに収奪を強めようとしている。そして、社会保障費の切り捨てもさらにすすめるにちがいない。われわれは、岸田政権による大軍拡を粉砕するために、「軍拡大増税・社会保障切り捨て阻止！」のスローガンを高く掲げるのでなければならない。

岸田政権は、米日共同の先制攻撃体制構築のために、そしてアメリカの兵器生産を日本国家としても補完してゆくために、政府主導で莫大な国家資金を投じて軍需産業を育成しようとしている。われわれは、「〈軍国日本〉への飛躍のための、血税を投入した軍需産業支援を許すな」「殺戮兵器の輸出拡大反対」「日本の『アメリカの兵器工場』化反対」をも、岸田政権による大軍拡をうちくだく闘いの任務としなければならない。

岸田政権は昨年の臨時国会会期末に、「国立大学法人法」改定案を強行採決＝成立にもちこんだ。「政治資金パーティー券」問題で労働者・人民の怒りの火に包まれた岸田政権が、それにもかかわらずこの法案を強行的におしとおしたのは、この国大法の改定が、米―中・露激突下において日本を〈戦争をやれる軍事強国〉へと飛躍させるために、「軍民両用技術」の開発を国家総力戦体制でおしすすめるという、日本帝国主義国家の国家戦略のまさに根幹にかかわるものであったからにほかならない。

政府・文科省は、この改定国立大学法人法にもとづいて、国立大学を軍事強国化のための研究・教育機関たらしめるために、大学への統制をますます強めようとするにちがいない。そしてその裏面では、政府の戦争政策に反対する研究者・教員を大学からパージする策動を強めるにちがいない。

われわれは、国大法改悪を弾劾するとともに、この改定国大法にもとづく高等教育のネオ・ファシズム的再編に断固反対するのでなければならない。心ある教職員・研究者にも連帯をよびかけつつたたかおうではないか。

そして、この闘いと一体で、「愛知大学自治会・サークルつぶし反対」の闘いをさらに強力に推進しよう。革命的学生運動の破壊をねらった一切の策動を木っ端微塵にうちくだけ！　この闘いを、日本の大軍拡・日米軍事同盟強化・改憲反対の闘いとむすびつけて推進し、その爆発をかちとれ！

〈プーチンの戦争〉を粉砕せよ！

われわれは、プーチン・ロシアのウクライナ侵略戦争をうちくだくために、断固として奮闘するのでなければならない。

米・欧権力者がウクライナ軍事支援を打ち切りつつあるなかで、プーチンは「ウクライナの非ナチ化・非軍事化」の野望をむきだしにした。プーチンのロシアは、ウクライナ全土を蹂躙しロシアのもとにのみこもうとしている。これを断じて許すな！

プーチンの放ったロシア侵略軍によるウクライナ人民虐殺弾劾！　ウクライナ諸都市やエネルギー・インフラ施設への爆撃を弾劾せよ！　「占領地」のウクライナ人民を動員し、塹壕を掘らせ、地雷を埋めさせ、同胞殺しに駆りたてるプーチンの蛮行を断じて許すな！

今ヒトラー・プーチンのウクライナ全面侵略開始からまもなく二年。侵略者どもにたいするウクライナの労働者・人民の闘いは、すでにみたようにいま大きな困難に直面している。それだからこそわれわれは、既成反対運動指導部の闘争放棄をのりこえ、ウクライナ反戦の闘いをよりいっそう強力におしすすめなければならない。そしてその全世界への波及をかちとるために奮闘しなければならない。このことこそが、ウクライナ人民にたいする檄となり、ウクライナ侵略をうちくだく力となるのだ。

ウクライナの労働者・人民よ！　われら日本の革命的左翼は全力を傾けて、〈プーチンの戦争〉を粉砕する闘いを推進するぞ！　全世界の労働者・人民は、ウクライナ人民を断じて孤立させてはならない。いまこそプーチンを包囲するウクライナ反戦闘争に総決起せよ！

日共中央によるウクライナ反戦闘争の完全放棄を弾劾せよ！　代々木官僚はその「第二十九回大会決議案」のなかで、ロシアのウクライナ侵略は「世界の平和と進歩への大逆流」であるが「この問題の解決の道が『国連憲章を守れ』の一点での世界の団結にあることは……明らか」だとほざいている。そして「決議案」の「日本共産党の任務」のくだりのなかには「ウクライナ」の記述はゼロである。代々木官僚どもは、プーチンの悪逆な侵略戦争にたいして反戦闘争をいっさい組織せず、国連加盟の各国権力者にたいする幻想をなおも煽りたてているのだ。

「ロシアよりもNATOが悪い」とほざいてプーチンを擁護するゴリ・スタ党員どもと、ウクライナ反戦闘争を断固推進するわが同盟に共鳴した党員たちとに挟撃されている代々木官僚は、「国連憲章守れの一点での団結」をおしだすという苦肉の策をとりながら、ウクライナ反戦のいっさいの運動を放棄しつづけている。だがそれは、この日共官僚がプーチン擁護のゴリ・スタ党員と同じく、侵略者プーチンへの怒りも、たたかうウクライナ人民への共感も何もない輩であるからだ。スターリンの末裔である彼ら中央官僚は、「ソ連＝プーチン＝共産党」とみなされたくないという自己保身から、もっぱら「国連憲章」に逃げこんでいるのである。

われわれは、この日共中央による闘争放棄を弾劾しつつ、ウクライナ反戦闘争の爆発をきりひらくのでなければならない。そして同時に、「ブチャ虐殺はフェイク」だとか「NATOのほうが悪い」とかとほざく腐りきったプーチン擁護者どもを、あらゆる機会をとらえてイデオロギー的に粉砕するのでなければならない。

この闘いのなかで、われわれは、プーチンの圧政に呻吟するロシアの労働者・人民にたいして呼びかけを発するのでなければならない。

ロシアの労働者・人民は、ウクライナの兄弟姉妹と連帯し、〈ウクライナ侵略反対＝FSB強権型支配体制打倒の闘い〉にいまこそ起ちあがれ！

諸君をおさえつけ君臨している「小ツァーリ」プーチンをはじめとするロシアの支配者どもは、みずからは宮殿のような邸宅に住み、天文学的な富をたくわえて贅沢三昧の生活を送りながら、労働者・人民にたいしては貧窮を強制し、そしてスマホでの電子版「赤紙」一通で動員し銃を握らせ、ウクライナの兄弟姉妹にたいして銃口を向けさせ、戦場での死を強制している。このロシアの権力者どもが享受している莫大な富は、自己崩壊したソ連邦の国有財産を奴らが二束三文で買いたたき・簒奪することによって手に入れたものなのだ。

ロシアの労働者・人民よ！　プーチンを表看板としたFSB支配体制は、「破産国ロシア」の救世主などでは断じてない。このことに目覚め、いまこそFSB官僚・特権的支配層への憤激に燃えて、ウクライナ侵略戦争反対・FSB強権体制打倒の闘いに起ちあがれ！　諸君の父祖たちがたたかいとった、あの一九一七年ロシア・プロレタリア革命の精神を、〈いま・ここ〉に蘇らせ、たたかいすすもうではないか！

ガザ人民ジェノサイド弾劾！

われわれは、イスラエル・ネタニヤフ政権によるガザ人民大虐殺を弾劾する闘いを、さらにおしすすめるのでなければならない。

シオニスト権力者によるガザ軍事侵攻こそは、ハマスのやむにやまれぬ決起を〝利用〟して、パレスチナ解放闘争の拠点となってきたガザ地区そのものを一気にたたきつぶし抹殺するために、ハマスもろともにガザのパレスチナ人民を皆殺しにするという世紀のジェノサイドにほかならない。この蛮行を徹底的に弾劾せよ！

イスラエルのネタニヤフ政権はいま、ハマスと連帯するレバノンのヒズボラをせん滅するための総攻撃にもうってでようとしている。これを側面から支援しているのがアメリカ帝国主義ではないか！　アメリカに支えられたイスラエルによるヒズボラへの総攻撃を阻止せよ！　イランへの戦争放火を許すな！

暴虐のかぎりをつくすネタニヤフ政権をアメリカ帝国主義のバイデン政権はあくまで擁護し、国連安保理の場で二度にわたって「拒否権」を行使し「停戦決議」を葬りさった。このバイデン政権を弾劾せよ！　パレスチナ人民を蹂躙するシオニスト権力と癒着するアラブ諸国権力者を許すな！　虐殺者ネタニヤフに「連帯」を表明した岸田政権に怒りを叩きつけよ！

ネタニヤフ政権がガザ人民にたいしておこなっているのと同様のことを、ウクライナ人民にたいしておこなっているのがロシアのプーチンにほかならない。このプーチンがみずからの犯罪に頬かむりして、アメリカ・イスラエルを非難し「ロシアには停戦交渉仲介の用意がある」などとほざくほど盗人猛々しいことがあろうか。われわれは、イスラエルのガザ人民ジェノサイドに怒り起ちあがっている人びとにたいして、ロシアのウクライナ侵略戦争にたいしても反対し決起すべきことをよびかけるのでなければならない。

日共中央は、ウクライナ反戦闘争のみならずガザ人民虐殺反対闘争も完全に放棄しさり、ただただ岸田政権やバイデン政権にたいして「停戦交渉」促進を請願しているだけである。この日共中央の闘争放棄を弾劾せよ！

この日共官僚どもは、イスラエルのガザ人民大虐殺と「パレスチナ解放」をめざすハマスの10・7越境攻撃とを同列に並べて「国際法違反」と烙印し、「暴力の連鎖を止めよ」などとほざいている。これこそ、占領者イスラエルへのパレスチナ人民の抵抗闘争にたいする公然たる敵対ではないか！

だが、ハマスは何ゆえに10・7越境攻撃に決起しなければならなかったのか。この10・7攻撃は、サウジアラビアなどのアラブ諸国がこぞってイスラエルとの政治的関係の構築と経済的癒着を深めてきたなかで、パレスチナが完全に見捨てられつつあることへの危機意識に駆られたハマスが、〝座して死を待つよりは〟の精神で敢行した戦闘にほかならない。

すなわちアメリカのトランプ前政権は、中国との全面対決にそなえて中東から逃げだしてゆくために、イスラエルに軍事的・政治的にテコ入れするとともに・シオニスト国家イスラエルとアラブ王制諸国権力者との「関係改善」をうながした。これをひきついだのがバイデン現政権であった。他方、アメリカが去りつつある中東地域におけるみずからの権益と政治的地歩を確保するために、アラブ諸国権力者との癒着を深めたのが中国とロシアであった。米―中・露の角逐が激化し世界全体が大きく引き裂かれる大地殻変動のもとで、〝パレスチナはこのままでは見捨てられ、独立国家樹立の道は断たれてしまう〟という焦燥に駆られたのがハマスであったのだ。このハマスの決起をばわれわれは、〝世界はパレスチナを忘れるな〟という叫びとしてうけとめ、ガザ侵攻反対の闘いをおしすすめるのでなければならない。

そして、そのただなかで、いまイスラエルの暴虐に怒り起ちあがっている中洋・イスラーム圏諸国のムスリム人民にたいして、〈イスラミック・インターナショナリズム〉にもとづき〈反米・反シオニズム〉の闘いをまきおこせ、とよびかけるのでなければならない。イスラエルの労働者・人民にたいしては、ガザ人民殺戮に狂奔するネタニヤフ政権打倒に起つべきことを訴えようではないか！

岸田日本型ネオ・ファシズム政権を打倒せよ！

すべての労働者・学生諸君！

安倍派を中心とする自民党政治エリートどもの「政治資金パーティー」疑獄こそは、安倍自民党政権いこう強化されてきたNSC（国家安全保障会議）専制体制の悪の露出にほかならない。そしてそれは、国家独占資本主義の腐朽性をむきだしにしたものにほかならない。軍事大国化と憲法改悪をおしすすめ、労働者・人民には貧窮を強制し、その裏で特定の独占ブルジョアと結びついて巨利をむさぼってきたのが自民党の政治エリートどもなのだ。この日本型ネオ・ファシズム支配体制の巨悪を、そして資本主義経済の悪を、われわれはすべての労働者・人民の前に徹底的に暴露しなければならない。

いわゆる「裏金」疑獄や、能登半島地震にさいしての被災者見殺しにたいする労働者・人民の怒りに直撃され、岸田政権はまさに断末魔にのたうっている。だが、危機であるからこそこの政権は、既成反対運動指導部の腐敗に助けられて、大軍拡・改憲、辺野古新基地建設、貧窮の強制などの極反動攻撃にしゃにむに突き進んでいるのだ。

わが同盟はすべての労働者・人民に、この極悪の岸田政権を打倒する闘いに起つべきことをよびかける！

全学連の学生は、戦闘的・革命的労働者と連帯して、大軍拡・改憲阻止闘争、辺野古新基地建設阻止の反基地闘争、軍拡増税反対の闘い、大学のネオ・ファシズム的再編反対の闘争、さらにはウクライナ反戦闘争、ガザ人民虐殺弾劾闘争などの闘いを猛然とおしすすめるのでなければならない。これらの諸闘争を「岸田政権打倒」の旗のもとに集約し、岸田日本型ネオ・ファシズム政権を労働者・学生の力で打ち倒そうではないか！

革命的学生運動の怒濤の前進をきりひらけ

すべての全学連の学生諸君！

本二〇二四年をわれわれは、昨一年の激闘につぐ激闘によって全国のキャンパスできりひらいた圧倒的な地平にたち、革命的学生運動の巨大な前進の年たらしめるのでなければならない。

わが全学連のたたかう学生のはたらきかけをうけた多くの学生・若者たちは、「反戦デモ参加を理由とした愛大自治会役員の退学反対」「愛大自治会サークルつぶし反対」「学生の自由を守れ」と声をあげはじめている。彼らは、どんな弾圧にも屈することなくたたかう愛大生に心をゆさぶられ、「ともにたたかう」という意志をうちかためているのだ。全国で起ちあがっている多くの学生たちは、ロシアのウクライナ侵略や習近平中国による香港人民弾圧などを目の当たりにしながら育ってくるなかで、全学連運動に出会い、〝「戦争と圧政」が迫りくるなかで自分のためだけに生きていてよいのか〟〝いま自分は何をなすべきなのか〟とみずからに問いかけながら、キャンパスで、街頭で声をあげはじめているのである。

全学連のたたかう学生たちはこうした学生たちにたいして、ともに反戦の闘いに、さらには学生自治会破壊反対の闘いに起ちあがるべきことをうながし、彼らを学生自治会運動に組織してきた。わが仲間たちは全国大学において、「愛大自治会・サークルつぶし反対」「退学処分撤回」の巨大なうねりをつくりだし、学生自治会の意思決定機関やサークル連合体・学園祭実行委員会の総会などで「愛大生との連帯」のアピールを次々にあげてきた。

琉球大学・金沢大学・鹿児島大学など多くの大学で、全学連系の候補がそれぞれ一〇〇〇票前後の信任票をかちとるかたちで自治会選挙を空前の規模で実現し、革命的執行部を樹立してきたことは、全学連運動が巨大なうねりとなって日本全国にひろがりつつあることの一端を示したものにほかならない。

こうした革命的学生運動の大きな前進をきりひらいてきた全学連の学生は本年、さらに多くの学生・若者たちを、反戦・反ファシズムの全学連戦士としてさらに広範にわが戦線に結集させてゆこうではないか。大学キャンパスにおいて、残存ブクロ派分子はいうまでもなく、日共をはじめいっさいの諸党派が消滅しさっているなかで、学生戦線はわが全学連の独擅場である。いま多くの学生たちが全学連を待っている。わが革命的学生運動を、拠点大学はもちろんのこと、それ以外の大学にも大きくおしひろげ、全学連運動の一層の拡大を実現しようではないか。いまこそ革命的学生運動の巨大な爆発をかちとれ！

革共同・中央学生組織委員会はこの闘いの最先頭で断固奮闘するであろう。

全学連の学生は、岸田政権にたいする怒りの闘争に全国いっせいに起て！　そして、2・3全学連闘争の爆発をかちとれ！

（二〇二四年一月七日）

愛大・川井当局による学生自治会「非公認」「無期限の便宜供与中止」決定弾劾！

社研・国問研への「無期限の活動停止」通告を許すな！

日本マルクス主義学生同盟・革命的マルクス主義派
マル学同革マル派・東海地方委員会

(1)

愛知大学学長・川井伸一(当時)は、二〇二三年十一月七日、豊橋校舎学生自治会・学生会館管理運営委員会にたいして、「学生自治団体として公認しない」こと、「十一月十四日付けで一切の便宜供与を無期限で中止」(自治会室・管運室の使用、自治会費の使用などの禁止)することを一方的に通告してきた。

川井学長一派は、川井の学長としての「最後の日」である「十一月十四日」に、学生自治会室や学館管運室を強権をふるって封鎖し、自治会と管運委の一切の活動を停止に追いこむという暴挙にうってでたのである。彼らがその「理由」としてあげつらっているのは、「事実にもとづかない虚偽や誹謗中傷の内容を記載したビラ等をくりかえし配布・掲示する行為」や「みずからの政治的な主張と活動をくりかえし行っている」などというものである。

まさにそれは、「ロシアによるウクライナ侵略反対」「イスラエルによるガザ人民虐殺弾劾」の反戦闘争、学生自主管理の学館を守る教育学園闘争、「学費値上げ反対」の政治経済闘争を大衆的な規模でダイナミックにおしすすめてきた愛大自治会、その運動と組織を暴力的に破壊する宣告にほかならない。それは同時に、「47協定」にもとづいて学生会館を半世紀以上にわたって自主的に管理運営しつづけてきた管理運営委員会、この学生団体がもつ管理運営権を無法に強奪し・学館を大学支配のもとに組み敷くという居丈高な宣言にほかならない。

そのウルトラ反動性は、学生自治会が展開してきた大衆運動の反政府的（および反当局的）な内容とその質を懲罰を加える理由に公然と掲げて、学生の団結の拠点である学生自治会をつぶす策動にふみだしたということにある。まさに新たなファシズムではないか！

それればかりではない。学長・川井は、文化連というサークル連合体の執行部員を輩出している「社会科学研究会」と「国際問題研究会」というサークルにたいしても、「無期限の活動停止」（部室の使用、文化連への加盟、新入部員の勧誘などの禁止）を通告してきた。

これら二つのサークルは、イスラエルによるガザ人民皆殺し攻撃や、ロシアによるウクライナにたいする軍事侵略、大学での軍事研究などにたいして、学生の批判精神をみなぎらせて斬りこみ・その悪を告発する活動を展開している学生団体である（十一月四〜五日の愛大祭でも「ガザ攻撃」を告発する展示企画を開催した）。

こうしたサークルにたいして川井反動一派は、その研究内容を「厚生補導」という文部科学省の概念（新たな「大学設置基準」に明記）を基準にして

全学連の総力で治安維持法型の学生自治会・サークル破壊をうち砕け！

「適切な課外活動がおこなわれていたのか重大な疑念が生じている」などと断罪して、「無期限の活動停止」を宣言したのである。

まさしくそれは、たとえ刑法に違反する行為におよばなくても内心でもつ思想・信条を――「国体」に反していると権力がみなして――懲罰の対象とすることができた治安維持法下の苛烈な弾圧、それと同様の弾圧が大学キャンパスで開始されたことを告げ知らせるものなのだ。

そして同時に、これら文化連の執行部を構成してきた二つのサークルにたいする川井当局による事実上の〝解散命令〟こそは、「コロナ前のような自由で完全な愛大祭」の実現をかちとる大学祭闘争や学館の自主的な管理運営を守る闘争の先頭にたってきた文化連をも破壊する攻撃以外のなにものでもないのである。

ところで学長・川井が、自治会・サークルへの無期限の「便宜供与中止」「活動停止」に踏み切る期日とした「11・14」とは「学長任期の最終日」であった。学生自治会を先頭にした「川井反動体制打倒」の闘いによって、「九月学長選」でみずからの後継候補が大惨敗に追いこまれた学長・川井。学生や教職員からの囂々たる非難に包まれて惨めにも大学を追われることになったこの学長・川井が、「いまわの際」に恥知らずな「11・7通知」をおこなったのは何ゆえか？

複数の教員の証言によれば、この断末魔の学長・川井に自治会・サークル破壊を直接的に指示したのは、文科省である。岸田政府が文科省をつうじて、不祥事をくりかえしている日本大学のように「私学助成金の交付をストップするぞ」と迫りながら、ボロボロとなった学長・川井を学生自治会・サークル破壊へと突き進ませたというのである。

われわれがつとに暴きだしてきたように、川井反動当局は、その背後にいる政府・文科省、警察権力との黒い結託を深めてきたのであった。だがしかし、もはや政府・文科省は黒幕としてふるまうことをやめた。「反戦デモ参加で退学は『新たな戦前』の到来だ」と危機感を表明し「愛大当局は、憲法違反の退学を撤回せよ」ともとめる労働者・学生・人民のうねりが全社会的な広がりをみせるなかで、背後にいた岸田政府（文科省）が――もはやその姿を隠そうともせずに――攻撃の前面に立ちはじめた。この政府権力者が、川井一派をして学生自治会にたいするファシズム的な突撃に向かわせるために、その老いたる尻を蹴りあげたのである。まさしくそれは、「岸田官邸発」というべきネオ・ファシズム的な革命的学生運動破壊の攻撃にほかならない。

（2）

こうした川井学長一派による未曽有の学生自治会・サークル破壊の攻撃をうち砕くために、わがマル学同革マル派東海地方委員会・愛大支部に指導された愛大のたたかう学生たちは、怒りに燃えて反撃の闘いに起ちあがった。

たたかう学生たちは、大学当局が学生自治会を「非公認」にし自治会室から叩き出そうとするウルトラ反動攻撃にうってでたことにたいして、「自治会室の封鎖阻止」を学生自治会の闘争課題に設定し、これを実現するために自治会を主体とした大衆的な反撃を創造することを決断した。少数の先鋭部隊だけでたたかうという選択肢もあった。けれどもその道はとらなかった。

「どんな厳しい弾圧のなかにあっても、あくまでも自治組織の強化とそれを担う学生の自治意識を高めつつ・大衆的な反撃を創造する。そしてそのただなかにおいて、みずからのたたかう背姿を見せながら『反ファシズムの全学連戦士』を新たにつくりだしていく。それこそが、反スタ主義者らしい闘い方である」――このように皆で決意し決断し、川井反動一派にたいする闘いを挑んだのである。

たたかう学生は、十一月十四日にも大学当局が自治会室などの封鎖を強行しようとしているという重大事態に鑑みて、緊急に自治委員会と文化連総会を招集し・全学的な反撃の闘いに学生自治会としてうってでることを執行部で決定した。

だがしかし、残された時間は休日も含めてわずか一週間しかなかった。ここから、たたかう学生たちの文字通りの不眠不休の闘いが始まった。

通知翌日の八日昼、学生自治会常任委員会は、「愛大川井学長による学生自治会・管理運営委員会つぶしを絶対に許すな！」「自治会室・管運室・サークル部室の封鎖を許すな！　愛大生の自由な学館・サークル棟・体育棟をサークル・部活の総力で守り抜こう！」と題した緊急声明を発して、全愛大生・教職員に川井一派にたいする闘いに起ちあがることを呼びかけた。この声明こそが、「豊橋を揺るがした七日間の闘い」の始まりを告げる鐘を、大学キャンパスに、そして豊橋市内・愛知県内にむけて高らかに打ち鳴らしたのである。

「11・7通知」からわずか二日後の九日夕方、文化連の緊急総会が開催された。十三日昼には自治委員会が緊急に開催された。極めて急な招集であったにもかかわらず、事態の深刻さを知ったサークル役員・自治委員が総結集し、文化連総会・自治委員会はともに規約の定足数を超えるかたちで成立をかちとった。

そして、両総会では「自由な愛大祭・サークル部活・学生生活を守るための団結の拠点＝愛大自治会の破壊をうち砕こう」「文化連の破壊に反対します。文化連サークルの社会科学研究会、国際問題研究会への『無期限活動停止』に反対します」「すべての部屋の剥奪を許しません。大学当局が鍵をつけ替えること、部屋を封鎖することは絶対に認めません」という決議が圧倒的に採択されたのだ。

ここに川井反動当局による学生自治会室・サークル部室の封鎖を学生の実力で阻止することが、学生自治会と文化連の総意として組織決定された。この決定にもとづいて「当局による鍵のつけ替えを阻止しよう！　自由愛大アクション」を全愛大生の力でかちとることが、自治会常任委員会から呼びかけられたのである。いやがうえにもサークル員たちのたたかう気運が高まった。ついに愛大生の全学的な決起が始まった。

サークルごとに川井当局による鍵のつけ替えを許さない「47協定破るな！　カード（封印カード）」がつくられていった。「封印カード」とは、サークルが十数枚ずつカードを常任委員会から受けとり、そのカードに「学長・川井にたいする怒り」や「自由な学生会館・サークル棟への思い」を込めたメッセージを書き込むというものだ。この封印カードが「自治会室を封鎖しようとする川井の魔の手」を封じる。続々と「カード」が集約されていく。

これと同時的に愛大生は、学長・川井による自治会・サークル破壊について社会的に明らかにし、学外の労働者・学生・人民に連帯をもとめてゆく活動をも強化した。十一月九日には豊橋市内で緊急の記者会見を開催。さらに豊橋市内、愛知県内に居住するすべての労働者・学生・市民に、「自治会・サークルつぶし」に反対してたたかう愛大生にたいする支援を呼びかける「意見広告」を『東愛知新聞』(十一月十二日朝刊)、『中日新聞』(同月十四日朝刊・県内版)に大々的に掲載。こうした新聞報道やSNSなどをつうじて、「愛大当局による自治会破壊」は瞬く間に愛知県内全域に広まり社会問題化していった。

（3）

ついに「11・13〜14愛大決戦」の火蓋が切られた。

反動当局者は、警察権力に学生自治会を弾圧することを水面下で要請。緊迫の度を高めるなかで迎えた十一月十三日、愛大のたたかう学生は、サークル員たちとともに、満を持して「11・13　自由愛大アクション」にうってでた。

昼休みから学生会館一階のラウンジで、封印カードの提出が始まった。「アクション第Ⅰ部」のはじまりだ。ラウンジに学生たちがカードをもって集まってくる。まだカードを書いていない学生たちも次々とカードを受けとり記入する。

ラウンジでは、サークル員たちが「学生自治を守る守護神」と呼ぶ自治会役員たちを等身大で描いた絵が、学生たちによって「カード」で彩られていく。「学生たちの抵抗のアート」だ。

十六時四十分、「アクション第Ⅱ部　封印の儀」が始まった。ラウンジの壁には巨大な「封印アート」が飾られ、愛大自治会旗も掲げられた。そこには「退学処分」をうけている自治会委員長をはじめ役員三名が駆けつけ、拍手で迎え入れられた。反動当局者の厳戒態勢をうち破って断固として登場をかちとったのだ。

自治会委員長の音頭で学生たちが「団結ガンバロウ」をおこなって、ついに学長・川井による自治会室・管運室・サークル部室の封鎖（鍵のつけ替え）を許さないための「封印の儀」にうつる。役員たちがすべての愛大生を代表して、鍵を変えられないように次々と封印していったのである。

そして、学長・川井が自治会室を封鎖することを宣言していた「十一月十四日」をついに迎えた。この日、早朝から愛大のたたかう学生は、川井当局にたいする重層的な闘いに同時的に決起する戦闘態勢についた。

まずキャンパスで、早朝八時から常任委員会のたたかう学生を先頭にして、川井一派による自治会室などの封鎖を阻止する闘いをサークル員とともに断固として敢行。これと時をあわせて八時から、豊橋駅頭で愛大自治会旗を広げ、マイクをつかって「封鎖反対！　自由な学生会館を守れ！　教職員・豊橋市民は愛大生とともに起ちあがろう！」と愛大生・教職員・豊橋市民に決起をよびかける情宣行動を大々的に実現。そして、キャンパス周辺をスピーカーを搭載した街宣車が大音響を轟かせて「川井学長による自治会室封鎖を許すな！　学生の自主管理の学生会館を守るために、住民のみなさんもともに起ちあがってください」と呼びかける街宣行動に決起。

駅前情宣では、すでに「意見広告」を目にして川井当局に憤っていた人々が、たたかう愛大生にメッセージを寄せ「何か自分たちにできることがあったら連絡してください」と語りかけてくる光景がそこかしこで見られたのである。

まさに愛大キャンパスで不屈にたたかう学生たちの闘志は学外の労働者人民に波及した。そして学外で豊橋市民から学生に寄せられた圧倒的な共感が大学キャンパスに逆流していった。

大学に逆らうものには「退学処分」を下し、さらには学生自治会・サークルつぶしにふみだした反動当局者。この川井一派にたいする怒りにうち震えながらも・孤立感を抱きはじめていた学生たちも、多くの豊橋市民が学生の側についていることを知って、がぜん燃えたのだ。

こうした「愛大生と豊橋の労働者人民の共闘」の広がりを眼前にした川井学長一派は、ついに自治会室などの封鎖の断念に追いこまれたのである。

学生会館・サークル棟では、サークル員たちの喝采があがった。「これからも47協定にもとづいて学生会館・サークル棟を学生が自主的に管理運営していくぞ！」――学生たちは勝ち鬨をあげたのである。

こうした「11・13〜14の激闘」を勝利的にたたかいぬいたことにふまえて、愛大自治会常任委員会の学生たちは、十一月二十一日を期して、学生自治会室・管運室などの「封印」をみずから解き、〈未来〉にむかって「47協定」にもとづいて学生会館を管理運営しつづけてゆくことを高らかに宣言しようとしている。まさにそれは彼らの新たな闘争宣言である。

愛大自治会のたたかう学生は、どんな暴風をもうち破って、イスラエルのガザ人民皆殺し攻撃に反対する闘い、ウクライナ反戦の闘い、辺野古への新基地建設を阻止する闘い、憲法改悪・大軍拡を阻止する闘い、それら一切の闘いの先頭において、愛大自治会の深紅の旗をまさしく闘旗として敵権力のまえに公然と翻しつづける決意である。すべての愛大生は、たたかう愛大生とともに愛大学生運動のさらなる前進を断固として切りひらけ！　全国のたたかう学生は、このたたかう愛大自治会を支援せよ！

（4）

川井一派による愛大自治会・サークルつぶしの一大攻撃こそは、革命的左翼が展開している革命的学生運動を破壊するための治安維持法型の弾圧である。その背景には、台湾、朝鮮半島、南シナ海を焦点として熱核戦争の危機をも高めながら熾烈化する米―中・露の激突のもとで、岸田政権もまた米日一体で中国・北朝鮮との戦争を遂行できる軍事強国に日本を飛躍させるための策動を一挙に強めていることがある。〈軍国日本〉の復興のために岸田政府・文科省は、国立大学にたいしても、文科相が認可する学外役員が大学の一切の権限を握ることができるように国立大学法人法を改悪しようとしている。大学を軍事研究・国策研究の拠点へと変貌させるために、政府の戦争政策や軍事研究の強要に反対したり、さらには「中国・アジア諸国との友好実現」を研究・教育テーマにすえたりする大学執行部や研究者・教職員、反戦運動をたたかう学生を徹底的に排除することを狙って、国公立・私立をとわず大学にたいする国家統制を飛躍的に強化しているのである。

われわれは、すべての学生、労働者、そして文化人・知識人諸氏に訴える。

政府・文科省の命をうけた愛大当局による愛大自治会・サークル破壊を許さない闘いは、岸田政府による憲法改悪を阻止し・新たなファシズムをうち砕くことにとって、決定的に重要な闘いである。ロシアのウクライナ侵略、イスラエルのガザ皆殺し戦争を契機として米─中・露の世界大戦勃発の危機が切迫する危機的な情勢のもとで、日本がアメリカとともに日米軍事同盟を強化し・戦争を遂行する道を進むことを断じて許さないために、学生自治会破壊・労組破壊をうち砕く闘いに、すべての学生、労働者、文化人・知識人は決意も固く起ちあがれ！

全学連のたたかう学生は、全国の大学キャンパスで「反戦デモ参加で退学反対！　愛大自治会破壊反対！」の巨大な闘争を、さらに大きくまきおこせ！こうした闘争を反戦闘争や政治経済闘争とともにおしすすめ、革命的学生運動の裾野を大きくおし広げよう！

わがマル学同革マル派は、学生戦線で吹き荒れる弾圧の嵐をうち破って、革命的学生運動の怒濤の前進を切りひらくために、最先頭でたたかいぬく決意である。

全国のすべての学生は、わが革マル派とともに起て！

（二〇二三年十一月二十日）

全国各地・各戦線での闘いをビビッドに報道／政府の政策や反動イデオロギーのまやかしを徹底批判／理論＝思想創造の熱い息吹き――学習や研究論文も充実／内外の時事問題を解きほぐす分析・論評記事を満載！

『解放』販売書店一覧

●北海道

MARUZEN＆ジュンク堂書店札幌店	中央区南１西１
東京堂書店	札幌市北区北24西５
TSUTAYA木野店	音更町木野大通西12

●東京都

書泉グランデ	神田神保町
ジュンク堂書店池袋本店	南池袋
紀伊國屋書店新宿本店	新宿駅東口
模索舎	新宿２丁目
芳林堂書店高田馬場店	高田馬場駅前
オリオン書房ルミネ立川店	ルミネ立川８階

●神奈川県

有隣堂本店	横浜伊勢佐木町
有隣堂横浜駅西口店	ジョイナスB1階
有隣堂アトレ川崎店	アトレ川崎４階

●群馬県

煥乎堂本店	前橋市本町

●茨城県

やまな書店	水戸市大工町

●北陸地方

金沢大学生協	金沢市角間
うつのみや金沢香林坊店	香林坊東急スクエア
うつのみや金沢百番街店	金沢駅Rinto

●東海地方

MARUZEN＆ジュンク堂書店新静岡店	新静岡セノバ５階
ジュンク堂書店名古屋店	名駅３丁目
MARUZEN名古屋本店	栄丸善ビル３階
ウニタ書店	名古屋市今池
三洋堂書店いりなか店	名古屋市いりなか
愛知大学生協	豊橋市

●関西地方

丸善京都本店	京都BAL地下１階
ジュンク堂書店大阪本店	堂島アバンザ３階
大阪経済大学生協	東淀川区
関西大学生協	吹田市

●九州地方

福岡金文堂本店	福岡市新天町
金修堂書店本店	福岡市草香江
宗文堂	門司区栄町
ジュンク堂書店鹿児島店	鹿児島市呉服町

●沖縄県

ジュンク堂書店那覇店	那覇市牧志
ブックスじのん	宜野湾市真栄原
朝野書房沖国大店	宜野湾市宜野湾
宮脇書店宜野湾店	宜野湾市上原
宮脇書店美里店	沖縄市美原
宮脇書店名護店	名護市宮里

（2024. 10 現在）

◎『解放』掲載の主要な論文や記事の一部をホームページで紹介しています。
革マル派公式サイト　http://www.jrcl.org/　E-mail jrcl@jrcl.org
◎ 解放社の出版物はＫＫ書房でも扱っています。
TEL03-5292-1210　http://www.kk-shobo.co.jp/　E-mail info@kk-shobo.co.jp

国立大学法人法の改悪を粉砕せよ

政府・文科省による大学へのネオ・ファシズム的な統制・支配を許すな

日本マルクス主義学生同盟・革命的マルクス主義派

岸田政権・文部科学省はいま、国立大学法人法の改悪を強行しようとしている。すべての学生・教職員・研究者は、政府による大学にたいするネオ・ファシズム的な統制・支配を一挙に強化するこの国大法の改悪を阻止する闘いに全国から総決起しようではないか！

岸田政権・文科省が強行しようとしている法改定の核心点は、各大学法人にたいして、文部科学相が認可する学外委員が多数を占める「運営方針会議」の設置を義務づけ、この会議に大学の教育・研究方針、経営方針、予算・決算、さらには人事にいたるまで、ありとあらゆる重要事項を決定する強大な権限を与えるということにある（〔補〕参照）。まさにそれは、各国立大学を研究・教育の分野で国家に奉仕する最高学府へと変貌させてゆくために、政府の直轄支配のもとにくみしく一大攻撃にほかならない。

こうした「運営方針会議」の設置義務を課す対象とされているのは、今のところ東京大学・京都大学などの五つの大学法人とされている。だがしかし、会議設置の義務が課される「特定国立大学法人」は文科省が政令で指定できるとされており、そしてまた「特定大学法人」に指定されていない大学も「運営方針会議」が設置できると謳われている。このことからするならば、政府・文科省は、「運営方針会議」のような合議体の設置を、すべての国立大学に・さらには公立・私立の大学に強制することを狙っていることは明らかなのである。

このように政府・文科省が、国立大学にたいする国家的な統制・支配を飛躍的に強化しようとしているのは、大学を軍事研究・国策研究の拠点へとつくりかえてゆくこと、そして戦争政策への協力に反対する教職員や反戦運動を創造する学生を大学から追放することを企んでいるからにほかならない。

大学の軍事研究拠点化を企む政府・文科省

岸田自民党政権は、「安全保障技術研究推進制度」（防衛省が管轄）や「経済安全保障重要技術育成プログラム」（内閣府が管轄）などをつうじた巨額の資金拠出をエサにして、敵国を先制攻撃するミサイルなどの軍事技術や、その基盤となるＡＩ（人工知能）や半導体などの先端技術開発に多くの大学を動員しようとしている。

「軍民融合」の名のもとに政府が莫大な資金を投入して大学などの研究機関に先端軍事技術開発を担わせている習近平の中国。この中国に対抗して岸田政権は、アメリカと共同での・また日本独自での軍事技術開発を、政府・防衛省の主導のもとに、大学・研究機関・民間諸企業が一体となっておしすすめる体制をつくりあげることに躍起となっているのだ。

「国家安全保障戦略」において、「総合的な防衛体制の強化」の名のもとに日本の「総合的な国力」を総動員すること、とりわけ大学との「安全保障分野」における「連携の強化」をはかることが謳われている。

これに示されるように、日本の軍事力強化のための軍事技術開発および「経済安全保障」の観点から政府が重要とみなした「軍民両用技術」の開発を「国家総力戦」でおこなう、という国家戦略にもとづいて、岸田政権は、国立大学を軍事強国化のための国家的な研究・教育機関たらしめようとしているのだ。しかも、こうした軍事技術と結びついた先端技術開発を大学を動員しておしすすめることによって、日本の「イノベーション力」なるものを回復させることをもくろんでいるのが岸田政権なのだ。

軍事研究・軍民両用の先端技術開発を推進する拠点として日本の大学を一挙につくりかえてゆくこと、そしてその裏面で政府の戦争政策に反対する研究者・教員を大学からパージしてゆくこと、これらを一挙に同時になしとげることこそが、国大法改悪に込めた岸田政権の狙いにほかならない。

あたかも政府の下請け機関のごとくに国家に奉仕し、軍需生産の拡大へと舵を切りつつある諸企業とも結びつきながら、官・軍・産・学一体で軍事研究(「軍民両用技術」の開発も含む)をおこなうように各大学に強制しようとしているのが、岸田政権なのである。

そして同時にこの政権は、「軍事研究における機密保持」という経済安全保障の観点から「外国(中国)のスパイ排除」の名において、反政府的な一切の研究者・教育者を排除する「現代の赤狩り」を強めようとしているのだ。「大学の自治」「学問の自由」などを完全に踏みにじりながら、各大学で誰が何を研究し・何を教育しているか、その内容まで監視し時には介入していくこと、そしてさらには軍事技術の開発などの国策研究の推進に反対する教員・職員・研究者を、〝国賊〞とみなして強権を発動して大学外に追放することを狙っているのだ。

まさに、岸田政権が強行しようとしている国大法の改悪こそは、国立大学を日本型ネオ・ファシズム支配体制を支える鉄の六角錐（政・財・官・労・学・マスコミ）の一角により深々と組みこみ、軍事強国・日本を支える国家総動員体制を構築するものにほかならない。それは、すべての大学キャンパスにおいて、教員・職員・研究者にたいする思想弾圧が政府の直接的指揮のもとに開始されることを告知するもの以外のなんであろうか。

見よ！　すでに私立大学においては、政府・文科省が直接手を下すかたちで学生にたいする許しがたい思想弾圧が開始されているではないか。政府・文科省の命を受けた愛知大学の川井前学長は、反戦デモに参加した自治会役員を退学処分に追いこんだうえに自治会そのものを非公認にし、さらにはイスラエルのガザ人民皆殺し戦争や軍事研究の悪を告発する活動をおこなっていたサークル（「国際問題研究会」と「社会科学研究会」）にたいして「無期限の活動停止」=事実上の解散命令を一方的に通告した。まさにそれは、学生自治会が反戦運動や反政府的な運動をおこなうこと・さらにはサークルが批判精神にもとづいて研究活動にとりくむことについて――その運動方針やサークル研究がもつ反政府的な内容や質を弾圧の理由として――それらを禁ずるという弾圧にほかならない。このような「愛大事件」は、治安維持法型の弾圧がキャンパスにおいて開始されたことを示すものだ。この「二十一世紀の愛大事件」――反戦をたたかう学生自治会・イスラエルのガザ人民にたいするジェノサイドや軍事研究の問題に批判的に斬りこむ学術サークルにたいして開始された破壊攻撃こそは、いま政府・文科省が国大法の改悪によって全国の大学の教員・職員にたいしてふりおろそうとしているパージ攻撃の先駆けなのである。

岸田自民党政権は、かの日本学術会議から、安保法制に反対した学者を首相の強権を発動して排除した菅前政権の対応を継承しつづけている。このような、軍事研究や政府の戦争政策に反対したり、政府が敵視する中国との「友好」の実現を志向するような学問を追究したりする教員・研究者にたいするパージを、全国の大学キャンパスに一挙におしひろげることを企んでいるのが岸田政権なのだ。

もはや明らかであろう。政府・文科省が国大法の改悪を急いでいるのは、各大学の最高意志決定機関を配下の者に牛耳らせ、みずからの悪辣なもくろみを強権をふるって各大学に貫徹するためにほかならないのだ。

大学のネオ・ファシズム的再編を許すな！

すべての全学連の学生諸君！　大学を軍事研究・国策研究の拠点へとつくりかえるために、それに反対する教員・研究者・学生を大学からパージすることを狙った国大法改定を絶対に阻止するのでなければならない。われわれは、日共・志位指導部による「反ファシズム」を放棄した「大学の自治」守れ運動をのりこえ、たたかおうではないか！

いま文科省が「運営方針会議」の設置を最初に義務づけようとしている東京大・岐阜大・名古屋大・京都大・大阪大の教職員組合が連名で反対声明を発したのをはじめ、全国の大学の教職員組合から次々と「国大法改正反対」の声明があがっている。「文科大臣が運営方針会議をつうじて大学を支配する仕組みをつくろうとするものだ」「大学の自治の破壊だ」「戦前のような思想弾圧の始まりだ」という危機感に満ちた声が、いま澎湃と巻き起こっている。全国の教員・職員・研究者は教職員組合のもとに団結し、国大法の改悪を阻止するために起ちあがろうではないか！

政府・文科省が強行しようとしている国大法改悪の攻撃は、「大学自治」・「学部自治」・「教授会自治」などを根こそぎ破壊し、「学問の自由」をも完全に踏みにじって、国家に奉仕して軍事研究をはじめとする国策研究をおこなうように教員・研究者に強制しようとするものだ。そして、国策研究の強要に反対する者はキャンパスから追放するという悪辣なもくろみにもとづくものにほかならない。

「大学の暗黒化」を断じて許さず、国大法改悪の攻撃を粉砕するために「教育のネオ・ファシズム的再編反対」の旗を高く掲げてたたかおうではないか！

＜愛大自治会・サークルつぶし反対＞と一体で闘おう！

全国のたたかう学生諸君！　国大法改悪に反対の声をあげる教職員・研究者に連帯を呼びかけつつ、これまでにも増して「国大法改悪阻止」「愛大自治会・サークルつぶし反対」の闘いを強力におしすすめようではないか。

すでに述べたように、愛知大学当局による自治会・サークル破壊の攻撃は、岸田政府・文科省が国大法を改悪することによって全国の大学でおこなおうとしていることの先駆けにほかならない。岸田政府・文科省は、愛大当局のように文科省のいいなりになって、学生自治会や反戦団体の反政府的な運動を、さらには反戦の思想にもとづくサークル活動を強権をふるって処罰・破壊するような者たちを全国の大学のトップに送りこもうとしている。その者たちに、愛大生にたいして反動当局者がふりおろしているような攻撃を全国の大学でおこなわせようとしているのだ。これを断じて許してはならない。

政府・文科省ならびに警察権力に尻を蹴りあげられて川井前学長が、自治会室を「使用禁止」にする期限として自治会に通告した十一月十四日から約一ヵ月――愛大のたたかう学生を先頭に愛大生は、自治会室・学館管理事務室・サークル部室を大学執行部に一指も触れさせることなくみごとに守りぬき、学生会館とサークル棟を学生自身の手で管理・運営しつづけている。

それを切り開いたものは、学生自治会のもとに団結して川井前学長のファシズム的な弾圧に仁王立ちになって立ち向かい、「自治会室閉鎖阻止」の闘いの大高揚をかちとった愛大のたたかう学生の闘いと、この愛大生の闘いに応え、みずからの大学の自治会やサークル連合体の機関会議や大学祭の参加団体総会などで決議をあげたり、愛大自治会に応援メッセージを送ったりして、様ざまなかたちで支援した全国のたたかう学生の闘いにほかならない。

全学連のたたかう学生諸君！　国大法改悪反対の闘いを、日本列島を揺るがしている＜愛大当局による反戦デモ参加で退学処分撤回、自治会・サークル破壊反対〉の闘いと一体でおしすすめ、巨大な闘いのうねりをつくりだそう！　軍事研究・国策研究の大学への強制を許すな！

いま全国の大学で、文科省から送りこまれた事務部門の役員や事務職員（彼らは二〇二二年の大学設置基準の改定によって権限が強化された）が強権をふるって、看板や掲示板に貼ったポスターの撤去・チラシ配布の取り締まり・さらにはサークル部室のとりあげなどの、規制・弾圧を次々と学生にたいしてふりおろしている。

国大法の改定によって、文科省ヒモツキの者たちが大学で強大な権力を握ることになったならば、それらの者たちが愛大の当局者のように学生の自治・サークル活動にたいする弾圧・抑圧をさらにエスカレートさせようとするのは火を見るよりも明らかなのだ。

全学連のたたかう学生は、文科省の手先の者に大学のすべての権力を握らせ反体制的な運動や〈自由〉なサークル活動・大学祭をキャンパスから一掃させるという、政府・文科省が国大法改悪に込めた企みを暴きだそう。文科省の息がかかった事務官僚どもによる横暴に怒る学生たちを、国大法改悪反対の闘いにドシドシとオルグしていこうではないか！

反戦闘争と結びつけて闘おう！

岸田政府・文科省がこれほどまでに大学にたいする統制を一挙に強化しようとしているのは、日本をアメリカとともに戦争をやる軍事強国へと飛躍させようとしているからにほかならない。台湾・朝鮮半島を焦点として米と中・露の激突が日々激化し、熱核戦争勃発の危機が日々高まっているただなかで、岸田自民党政権は、日米軍事同盟を強化しアメリカと一体で中国・北朝鮮と戦争を遂行できる国へと日本を改造しようとしている。五年間で四三兆円という従来を倍する多額の軍事費をつぎこんで史上空前の大軍拡をなしとげてゆくために、岸田政権は、大学にたいして軍事研究に協力するように迫っているのだ。

まさにそれゆえにわれわれは、〈国大法改悪反対〉〈愛大自治会・サークルつぶし反対〉の教育政治闘争を、日本の大軍拡・日米軍事同盟の強化に反対する反戦反安保の闘いおよび大学での軍事研究反対・軍需生産の拡大阻止の闘いと結びつけてたたかうのでなければならない。

「大学の自治」を破壊し政府の「国策」に忠実な教育・研究をおこなうように各大学に強制することを狙った国大法改悪の攻撃は、「思想・信条の自由」や「学問の自由」を謳った現行憲法を改悪する策動の先取りにほかならない。われわれは、政府に強大な権限を与え民主的諸権利の一切を剥奪する「緊急事態条項」の制定と「戦力不保持・交戦権否認」を謳った第九条の破棄を柱とする憲法改悪に反対する反改憲の闘いとも結びつけて、〈国大法改悪反対〉の闘いをたたかおうではないか。

政府・文科省は、各大学の当局にたいして「運営費交付金」や「私学助成金」を大幅に減額し痛めつけ、「稼げる大学になれ」などとみずから経営資金を確保するように迫っている。まさにそれが、さらなる学生の学費値上げをもたらすことは明らかである。それゆえにわれわれは、〈国大法改悪反対〉の闘いと、〈学生生活を破壊する学費大幅値上げ反対〉の政治経済闘争とを結びつけて推進するのでなければならない。

政府・文科省の指令を受けた愛大当局が苛烈な弾圧を学生にふりおろし、そして岸田政府・文科省がその矛先を全国の学生さらには教職員におしひろげるような法改定にふみだしたいま、われわれは「戦前の教訓」を想起するのでなければならない。

二〇〇〇万人の命を奪った中国・アジア諸国への侵略戦争に突入する前夜の軍国主義日本において、特高警察がはじめて治安維持法による弾圧を同志社大学の社会科学研究会にたいしてふりおろしたのであった。これを号砲に、「思想善導」を掲げた文部省およびこれに従った各大学当局が、各大学の社会科学研究会を次々と解散させた（京都学連事件）。そして、時の権力とその軍門に降った大学当局は、その思想弾圧の矛先を、かの「滝川事件」に象徴されるように教員にたいしても向けていったのであった。

愛大当局が「厚生補導」という文科省の概念をふりかざして自治会・サークル破壊に狂奔しているのは、まさに戦前の軍国主義日本の権力による思想弾圧と極めて酷似しているではないか。そしてその矛先は、学生だけでなく、教員・職員・研究者にたいしても向けられているのだ。

全国の学生諸君！　そして「新たな戦前」を直感し起ちあがっているすべての教職員・研究者・文化人に訴える！

大学を国策研究拠点に変貌させるために、それに反対する者をキャンパスからパージする攻撃にたいして、われわれは仁王立ちになってたたかうのでなければならない。敵権力・大学当局によるあらゆる弾圧を打ち破るべく、〈反ファシズム〉の旗高くうってでようではないか！

全国の学生・教職員・研究者は団結し、国立大学法人法の制定を打ち砕くためにともにたたかおう！

すべての学生は、わがマル学同革マル派とともに闘いに総決起せよ！

〔補〕岸田政権が強行しようとしている法改定の要点は以下の通りである。

①一定規模以上の「特定国立大学法人」に新たな合議体（「運営方針会議」）の設置を義務づける。どの大学を「特定国立大学法人」とするかは、文科省が政令で指定する。

②「運営方針会議」は委員三名以上と学長とによって構成される。委員の任命は、文科相の承認を得たうえで学長がおこなう。同じく委員の解任も文科相の承認を得たうえで学長がおこなう。政府・文科省は委員の半数以上を学外者とすることが「適当」としている。

③「運営方針会議」は、「中期目標・中期計画及び予算・決算に関する事項等の決議・決定」の権限をもつとされている。さらに学長選考について「運営方針会議」は、「学長選考・監察会議」（すでに各国立大学に設置されているそれ）にたいして「意見表明」をする権限が与えられる。また、「学長が解任事由に該当するおそれがあると認めるときは、遅滞なく、その旨を学長選考・監察会議に報告しなければならない」とされている。

こうした内容の法改定によって政府・文科省は、各国立大学法人への教学・経営にわたる統制を一挙に強めるための実体的構造を構築しようとしているのだ。

まず第一に、各大学法人に新たに設置を義務づけた「運営方針会議」の委員を任命するにあたって、学長は文科相の承認を得なければならない。学長以外の委員については文科相が認否の権限をもつということであり、当然にも学長が推薦した人物について文科相が拒否することもできるのである。しかも、

「運営方針会議」は学長以外に必ず三名以上の委員がいなければならない、とされている。つねに文科相の承認を得た人物が多数を占め・しかもその半数以上が学外者なのである。こうして各大学の最高意志決定機関は、実質上文科相が承認する学外者たちによって牛耳られることになり、学長は「運営方針会議」で決定されたことを忠実に〝執行〟するという役割を果たさせられることになるのである。

それだけではない。一度設置された「運営方針会議」には、学長選考・監察会議にたいして、学長選考についての「意見」を表明するとともに、「解任」の勧告をおこなう権限が与えられる。文科相は各大学の「運営方針会議」の委員の認否の権限を握るだけでなく、学長の人事についても媒介的にみずからの意向を貫徹することができるようになるのだ。

第二に、設置された「運営方針会議」には、大学運営についての強大な権限が与えられるということである。現在役員会の権限とされている中期目標および予算・決算にかかわる事項、そして教育研究評議会および経営協議会の権限とされている中期計画にかかわる事項についての決定権が、すべて「運営方針会議」に与えられる。どの学問領域での教育・研究を優先的におこなうか・どのように学部を統廃合したりカリキュラムを編成したりするか・予算のふりわけをどうするか……など、教学と経営のすべての領域にわたることがらを独断・専横で決定する絶大な権限が「運営方針会議」に集中されることになるのだ。

ちなみに、改定案においては、「……に関する事項等（運営方針事項）の決議・決定」というように、「運営方針会議」が決定できる項目について「等」という一字が書きこまれている。法案で明記されている「中期目標・中期計画」や「予算・決算」にかかわることがら以外にも、たとえば学部長人事や教員・研究者の採用、さらには学生管理政策など、大学の「運営方針」にまつわるとみなしたありとあらゆることがらについての決定権を「運営方針会議」に握らせることを、政府・文科省は企んでいるにちがいない。

（二〇二三年十二月十日）

国際卓越研究大——軍民両用技術の研究・開発拠点の構築

間垣野剛

学内の統制・管理を強化してきた東北大を第一号に認定

岸田政権・文部科学省は二〇二三年九月一日に、「国際卓越研究大学」の認定候補第一号に東北大学を選定したと発表した。

政府はこのかん、「国際卓越研究大学」なるものに五〜六校を認定し、それに一〇兆円を超える「大学ファンド」の運用益約一〇〇億円を毎年投じて、「世界トップレベルの研究水準」を有する「国際競争力のある」大学をつくるという構想を示してきた。有識者会議が全国から応募した十大学を審査・現地視察して初の候補校に東北大学を選出し、東京大学や京都大学などは今回は落選にした。東北大学が二〇二四年度中に正式に認定校に決定されると、これには年間一〇〇億〜数百億円の莫大な助成金が最長二十五年間にわたって供与されることになる。

政府・文科省が認定候補の審査で最も注視したのは、各大学が提出した「大学改革の計画」であるといわれている。東北大学は「計画」の筆頭に、大学の実効的な「ガバナンス（組織統治）やマネジメント（運営管理）」の強化をあげた。学外者が過半数を占める「総合戦略会議」が、大学の運営業務の執行・監督、学長の選任もおこなうという。大学執行部の「改革計画」にたいする学内の反対勢力や批判的意見をおしつぶし学内の統制・管理を強化してきたこと、これをより強力にすすめるという東北大学の「改革計画」を岸田政権は〝高く評価した〟のだという。

また東北大学は、「バイオ、半導体、材料科学の分野で民間投資を呼びこみ事業成長を達成する」、「企業からの研究資金を二一年度の八六億円から十倍以上にする目標」を掲げている。現在、東北大学はキャンパス内に次世代放射光施設「ナノテラス」を、国や宮城県、仙台市、東北経済連合会などと資金を分担し建設中である。官民学共同で新素材の研究・開発・事業推進の拠点として整備を急ぐという。この事業計画は、まさに岸田政権が求める〝稼げる大学〟像に合致するものなのだ。政府は東北大学にたいして、正式な認定校決定に向けて「産学協同による収益拡大策をさらに磨きあげよ」と注文をつけている。

岸田政権は、東北大学を選出したことを喧伝すると同時に、落選にした東京大学・京都大学にたいして「組織改革」「ガバナンス強化」など大学改編への圧力をかけ「再挑戦」を強制している。こうした恫喝を応募校にくわえつつ、国策に沿った「デュアルユース（軍民両用）の拠点」として「国際卓越研究大学」を、巨費を投じて構築しようとしているのだ。

＜米―中・露＞の熱核戦争勃発の危機の高まりのもとで米中対立があらゆる部面において熾烈化している。ＡＩ（人工知能）・５Ｇ（第五世代移動通信）・量子技術や次世代半導体などの高度先端技術の国際的な開発競争に、よりいっそう拍車がかかっている。この争闘の狭間で、加速度的に進行している「デジタル革命」の波に大きくたち遅れているのが日本帝国主義だ。これに危機意識を募らせる独占資本家どもの意を受けて、岸田政権は〝起死回生〟を策して、

ＡＩや次世代半導体などの「軍民両用」を前提とした高度先端技術の研究開発をおしすすめるために、その拠点として「国際卓越研究大学」を創設しようとしているのだ。

中国に対抗しての最先端技術の開発推進

①「世界と伍する研究大学」を呼号

岸田政権は次のように語っている。

「国際卓越研究大学」は、「イノベーションの中核拠点として、世界トップクラスの研究者が集まり活躍できる環境を作るための研究大学」をめざす。「ＡＩ技術、バイオテクノロジーや量子技術などの戦略重点分野や新興・融合分野への取り組み」を推進する。そして、「我が国の大学にゲームチェンジを引き起こし、真に世界と伍する研究大学を創出していく」と、号令をかけているのだ。（註１）

岸田政権は、いま東京大学が「大学世界ランキング」で中国の有力大学である北京大や清華大などの後塵を拝し、三十六位にまで転落していること、優秀な日本人研究者がアメリカや「軍民融合」を謳う中国の大学・研究機関に続々と留学したり引き抜かれていることに、強烈な危機意識を高じさせている。中国が「軍民融合」の技術開発研究をテコに、ＡＩや先端半導体を核とする「デジタル革命」を推進し自称「技術強国」へと飛躍してきたことに、岸田は垂涎している。世界に大きく遅れをとっている日本の「デジタル化」「脱炭素化」の技術開発の停滞を打破し、ナノ・テクノロジーの先端技術、高性能半導体の開発などデュアルユース＝軍民両用の技術研究を推進する拠点として「国際卓越研究大学」を創設しようとしているのが岸田政権だ。

②一〇兆円の「大学ファンド」

岸田政権は、アメリカのハーバード大学が独占資本家などから多額の大学運営資金を調達してイノベーション中核拠点に投下していることを手本にして、一〇兆円規模の「大学ファンド」を創設し、その運用益を「国際卓越研究大学」に充てるという〔「ファンド」の運用は国立研究開発法人「科学技術振興機構（ＪＳＴ）」がおこなう〕。まさに破格の「助成」である。

認定された大学には年三％程度の事業規模の成長のノルマを強制し（これが達成できない場合には課徴金を科す）、さらには認定の取り消し・助成の打ち切りを検討するという。まさに〝投資に見合った成果〟をあげることが厳しく要求されるのだ。

③官僚・資本家主導の「ガバナンス体制」

「国際卓越研究大学」創設を指揮する「総合科学技術・イノベーション会議（CSTI）」（註2）は、大学の運営について、「自立と責任あるガバナンス体制（合議体）の確立」を前面に掲げている。文科省や経済産業省から送りこんだ官僚や企業の経営者など半数以上の学外者で構成する〈合議体〉が大学運営を担い、学長の選出もこの〈合議体〉がおこなうというものだ。

これらの運営方針を強制することによって、岸田政権は、教授会による大学運営を否定し、教授会の解体を企んでいる。

他方、「国際卓越研究大学」の認定を受けなかった大学にたいして、政府は大学運営費交付金を減額するなどの圧力をかけようとしている。このような岸田政権の露骨な仕打ちのもとで、各大学当局は、生き残りをかけた大学運営（大学統合、学部再編、運営組織の解体、そして諸施設の閉鎖・解体や人員削減など）に血眼となるにちがいない。大量の非正規雇用の研究職の労働者が、「雇い止め」＝首切りを強制されるのだ。

また、政府の統制を受けて大学当局が学生管理を強化する。「大学ガバナンス」の規範からはみだすとみなした学生の自主的なサークル活動や自治会運動にたいして、よりいっそうの規制強化や排除の攻撃をしかけてくるにちがいない。

軍事強国化のためのデュアルユース技術研究

ロシアのウクライナ侵略を発火点にして米—中・露の軍事的対立が激化し、東アジアにおいても中国の台湾併呑を焦点として戦争勃発の危機が高まっている。こうした情勢のもとで、岸田政権は「アメリカとともに戦争をする軍事強国・日本」の創出に狂奔している。「安保三文書」の閣議決定、「軍拡財源確保法」「軍需産業基盤強化法」の成立強行にひきつづき、殺傷兵器の輸出のための「防衛装備移転三原則」（運用指針）の改定にふみだした。

すでに歴代の安倍・菅政権いこう、「防衛分野での研究開発に資する先進的な民生技術についての基礎研究の推進」（デュアルユース）と「開発サイクルの早い民生技術の短期実用化」（スピンオン）をうちだし、「軍民両用」の研究開発を民間研究機関などで実施してきている。だが日本学術会議が反対の態度を鮮明にしたことで、政府は大学でのデュアルユースの技術研究を目論見どおりにおしすすめることができなかった。

この局面を一挙に突破しようとしているのが、岸田政権だ。この政権は、日本の軍事力を飛躍的に増強し防衛産業の再興をはかるために、莫大な国家予算を投入しハイテク兵器の開発・製造に突進している。「軍民両用」の高度な技術研究開発、ＡＩ・量子、高性能半導体の開発およびそれらを駆使したハイテク兵器開発の技術的研究を加速させるために、その拠点として「国際卓越研究大学」をつくりだそうとしているのである。

こうした「軍民両用」技術の研究開発を急ピッチですすめるために、日本学術会議会員六名の任命拒否を継続することをもって学術会議に屈服を迫っている。と同時に、ＣＳＴＩの事務局に十人あまりの防衛省職員を着任させ、「デュアルユース」技術の研究に向けた体制づくりを着々とすすめているのだ。

首相・ＣＳＴＩ専制の大学再編

いま政府・支配階級は、国際的なＤＸ（デジタル化）・ＧＸ（脱炭素化）にたち遅れ危機に直面している日本独占資本の生き残りを賭けて日本の軍事強国・富国強兵策に技術者・研究者・学生などを動員するものとして、「国際卓越研究大学」の構築に突進している。

「国際卓越研究大学」は、その教育研究の内容も、それを実施する体制も、首相・岸田文雄を議長とする内閣府・CSTIが統括し、文科省が指揮・監督するとされている。この意味で「国際卓越研究大学」の設立は、一九九一年の一般教養課程の廃止や、二〇〇四年の国立大学法人化とは、大学再編の質と次元を異にする。まさに〈鉄の六角錐〉の一翼を名実ともに担う「学」の確立の策動にほかならず、軍事強国づくりに向けたネオ・ファシズム的な大学再編を象徴的に示すものにほかならない。

「国際卓越研究大学」法案の採決時(二〇二二年五月)には、全国の大学教職員や弁護士が中心となって反対の声明を発し一七〇三名の反対署名を岸田内閣に突きつけた。また市民や学生のオンライン署名は五日あまりで一万三〇〇〇名を超えた。こうした声をふみにじって岸田政権が強行する「国際卓越研究大学」の設立に、反対するのでなければならない。

「デュアルユース」技術研究の推進反対！　大学教育のネオ・ファシズム的再編を許すな！　有期契約・非正規雇用の研究者・大学教員の大量の雇い止め反対！　岸田政権による軍事大国化に向けたいっさいの策動を阻止しよう！

註1　「国際卓越研究大学法」(二〇二二年五月十八日制定)およびCSTIの「世界と伍する研究大学の在り方について　最終まとめ」(二〇二二年二月一日発表)より。

註2　CSTIは、首相・岸田の議長のもとで内閣官房長官、科学技術政策、経産、文科、財務、総務の各大臣六名と、民間から経済安保政策のブレーン・上山隆大(常勤)、経団連副会長、NTTや富士通などIT大手の役員、東大総長、日本学術会議会長など計十四名で構成されている。「専門調査会」の検討会には、「軍民両用」技術研究の急先鋒・五神真(元東大総長)などが参加している。

〔『解放』掲載の関連論文〕

・国立大学法人法の改悪阻止！　　松尾　雄平
(『解放』第二七九六号)

・「K－プログラム」──大学・研究機関を軍事研究に動員する岸田政権
(同第二七八八号)

・セキュリティ・クリアランス──大軍拡推進のために研究者・技術者への監視体制を強化
(同第二七八五号)

・大学・研究機関での軍事研究に突進する岸田政権
(同第二七八五号)

米・中激突下で腐蝕を極める現代世界経済
〈脱グローバル化〉をめぐるせめぎ合い

浦　幌　静

イスラエル・ネタニヤフ政権による狂気のガザ人民大殺戮、いまなお続くプーチン・ロシアのウクライナ侵略の暴虐。そして北朝鮮・金正恩の核軍事体制づくりへの突進、「台湾併呑」策動を強める中国とこれに対抗するアメリカとの威嚇的軍事行動のやり合いによる一触即発の危機の常態化。――米・中が激突する〈東西新冷戦〉を基軸として政治的・軍事的・経済的角逐を深めてきた現代世界は、いまや〈戦争の時代〉に突入し、その末期的症状を、その腐朽の極みをさらけだし、歴史的な岐路に立っているといわなければならない。

スターリン主義ソ連圏の自己崩壊を「共産主義の終焉」とみなして凱歌をあげ、〈ドルと核〉をふりかざして〈経済のグローバル化〉を全世界におしつけてきた軍国主義帝国アメリカ。この落日の「一超」帝国は、いまや「国際秩序を再編する意図をもつ唯一の競争者」と烙印した習近平の中国を軍事的にも経済的にも封じこめるために、「統合抑止」の名のもとに日・韓・豪などの同盟国の軍事力・経済力・技術力を総動員して対中国軍事包囲網づくりに狂奔するとともに、軍民両用の高度技術サプライチェーンからの中国排除を各国権力者・独占資本家に押しこむことに躍起となっている。あくまでも世界の覇者の座を維持するためにあがくヨレヨレ・バイデン政権によるこの対中国デカップリング（グローバル・サプライチェーンの分断・再編）のゴリ押しは、世界経済の〈脱グローバル化〉の途を掃き清めるものにほかならず、これまで衰退を露わにしながらもなお「一超」帝国として君臨することを支えてきた金融的・経済的基盤そのものを、アメリカみずからがほり崩す以外のなにものでもない。

まさしく現代世界経済はいま、米・中激突のなかで――新型コロナ・パンデミックがもたらしたグローバル・サプライチェーンの寸断・麻痺と〈プーチンの戦争〉がひきおこした石油・食糧の供給危機に直面して――アメリカ権力者の主導のもとに各国権力者が「経済安全保障」を楯にしたサプライチェーンの分断・再編にのりだすことによって、〈脱グローバル化〉＝〈半ば開かれた経済ブロック〉の形成へと転回し、歴史的な構造的変動をひきおこしつつある。

ソ連圏の崩壊のもとで「一超」帝国に成りあがったアメリカが一気に加速させてきたのが〈経済のグローバル化〉であった。この没落帝国は、敗戦から〝復活〟した日本やドイツとの経済的争闘戦に敗退して世界最大の債務国に転落しながらも、むしろこの〝借金〟の膨れあがりを逆手にとり膨大なドル通貨を世界中にまきちらすことによって――ＩＴ技術革新の推進をも基礎にして――金融的支配を強化し、帝国主義諸国全体が経済低成長に沈むなかで〝日本や中国が生産しアメリカが消費する〟とさえいわれるようなグローバルな搾取と収奪の構造をつくりだしてきたのであった。まさに〈経済のグローバル化〉とは、〈アメリカン・グローバライゼイション〉にほかならなかった。この〈経済のグローバル化〉のもとで、世界経済はこの数十年、米・欧・日帝国主義諸国における金融資産バブルとその崩壊、そしてそののりきりのための〝金融緩和資金〟のばらまきをくりかえし、そうすることによっていよいよ構造的危機を深めてきたのである。米・中激突のもとで没落帝国主義アメリカが焚きつけた〈脱グローバル化〉の胎動は、このような世界経済の構造を根底から突き崩す大地殻変動を呼び起こすものにほかならない。まさに現代帝国主義世界経済はいま、どんづまりの危機を迎えている。

A　金融活況下で深まる世界経済の構造的危機

新型コロナ・パンデミックによる経済の麻痺＝恐慌的事態の惹起と、これをのりきるための帝国主義各国の巨額の財政資金ばらまき。そして〈プーチンの戦争〉がひきおこした原油や食糧の価格急騰。これらが折り重なることによって、二桁台の上昇率でおし寄せてきていた世界的な狂乱インフレの波は、米ＦＲＢ（連邦準備制度理事会）を先頭にして主要国中央銀行（日銀を除く）が実施してきた急速な政策金利の引き上げによって、統計数値上は三〜四％のインフレ率に抑えこまれてきている（米欧の政策金利は五〜六％に上昇、日銀だけがいまだマイナス金利を抜けられず）。

〔だが労働者・人民の日々の生活に欠かせない食料品などの生活必需品の価格は高騰を続けている。各国権力者がはじきだす消費者物価上昇率などの数値が、労働者・人民の生活からいかに乖離したものであるかということが、歴然としているではないか。実質賃金の低下に苦しむアメリカＵＡＷ（全米自動車労組）の労働者たちが、労組指導部の永きにわたる労使協調路線をうちやぶって長期間のストライキをうちぬき、大幅賃上げをたたかいとったこと、世界各地で多くの労働者が賃上げを求めて起ちあがっていることが、このことを如実にしめしているといえる。〕

こうしたなかで世界経済はいま、「市場社会主義国」の看板をいまなお掲げる中国の経済が都市開発・住宅建設バブルの崩壊にあえいでいることを最大の要因として、停滞の色を濃くしている。しかも、アメリカ・バイデン政権が高度技術サプライチェーンからの中国の締め出しを強行するなかで、帝国主義諸国の独占資本家どもがアメリカの制裁を怖れて、高度技術製品だけではなくそれ以外のモノの中国への輸出や直接投資をも控えはじめ、このことが、中国経済の落ち込みを深めるだけでなく、帝国主義諸国の製造業の業績不振にもはねかえってきていること、さらに米・欧帝国主義諸国がインフレ抑制のために金融引き締めを続けていること、これらが相乗することによって、世界経済の構造的危機が深まっているのである。

中国では、不動産建設工事が中断し労働者の解雇や賃金未払いが相次いでおり、若者を中心に失業者が激増し、それゆえ消費者物価が前年比マイナスになるほどに「個人消費」も落ちこんでいる。中国政府は二〇二三年六月に若者の失業率が二〇％超に上昇していると発表して以降は、失業率の公表をやめてしまった。実際の失業率は四〇～五〇％に達しているといわれている。

こうしたなかで、唯一アメリカ経済だけが、ＦＲＢの急速な金融引き締めによっても経済成長がわずかに減速しただけの〝堅調〟ぶりをしめし、〝世界経済を牽引している〟などと喧伝されている。だが、金融引き締めのもとでも旺盛な「個人消費」によって経済成長を維持しているとされるアメリカのこの〝堅調〟経済の内実は、コロナ・パンデミック下において社会の〝底割れ〟を防ぐために、トランプおよびバイデンの両政権が巨額の給付金をばらまき、コロナ後の〝リベンジ消費〟をつくりだすことによって経済の急激な落ち込みを回避してきたというものでしかない。まさに没落ドル帝国が、野放図な財政スペンディングを実施し政府債務を激増させることによって（政府債務残高は三三兆ドルに急増）、しかもクレジットカード債務残高も一兆ドルを突破して過去最高を記録していることにもしめされるように、労働者・人民の借金をも膨らませての消費の拡大によって、かろうじてつくりだされているものなのだ。

ＩＭＦ予測では二三年の世界の経済成長の三五％をになうとされた中国経済、その落ち込みは、いま世界経済（実態経済）に深刻な影響をもたらしている。不動産バブル崩壊の深まりだけではなくバイデンの対中国デカップリング政策の〝滲透〟にも規定されて、中国での設備投資が伸びないがゆえに、世界の製造業においてとくに産業機械の在庫がだぶつく事態がうみだされ、とりわけ欧州の、なかでもイギリスやEUの基軸であるドイツの経済減速に拍車をかけている。石油の一大消費国でもある中国経済の停滞は、高騰していた石油・エネルギー価格の低下をもたらしてもいる。中国国内需要の落ち込みのゆえに、中国企業が家電製品・家具などなどを国外にダンピング輸出する動きも拡大してきている。中国経済のこうしたがたつきが、世界的なインフレの〝沈静化〟に寄与することにもなっているのである。

欧州を中心にして、いまや世界主要国の七割で製造業が業績不振に陥り、二〇〇八年のリーマン・ショック時に並ぶ深刻な事態に直面しているといわれている。リーマン・ショックのときには、中国が四兆元の「内需拡大」財政支出政策を実施し、世界経済の〝救世主〟として躍りでたのであった。だが、いまやその中国は、そうした「内需拡大」財政政策をとりつづけてきたことのツケが回って不動産バブルの崩壊に直面し、完全にゆきづまっている。中国を抜いて世界一の人口大国となったモディのインドが注目されているとはいえ、貧困農民層が人口の過半（八億人）を占め、社会インフラと第二次産業がいまだに脆弱な基盤のうえにIT産業がそびえたつというういびつな産業構造のゆえに、直ちに中国に代わって「世界の工場」とはなりえない。もはや世界経済の「実需拡大」をもたらす〝救世主〟は不在となり、こうして世界の権力者・独占資本家どもはいま、観光・イベント・デジタルサービスなどのサービス産業の拡大にすがりつくとともに、〈プーチンの戦争〉を睨んで大軍拡に突進し、非生産的生産の権化にほかならない「経済の軍事化」（軍需生産）に、延命の道を求めようとしているのである。——こうした軍需生産とデジタル産業に不可欠な先端半導体などの軍民両用技術製品を、「国家安全保障」の観点から自国内で生産するために、巨額の国家資金を投じて工場誘致に狂奔しているのが、そうすることによって〈脱グローバル化〉に拍車をかけているのが、世界の権力者どもなのである。

そして、この実態経済の危機の深まりを覆い隠しているのが、世界ＧＤＰの三倍にも膨らんでいる金融緩和資金による〝カジノ経済〟の狂躁にほかならない。このことは、アメリカ経済が唯一〝堅調〟などとおしだされていることに象徴的にしめされているといってよい。二三年十二月十三日にＦＲＢが利上げの打ち止めと二四年中に三度の利下げをおこなう姿勢をしめしたことに投機屋どもがいよいよ活気づき、ニューヨーク・ダウ平均株価は三万七〇〇〇ドルを突破して史上最高値を更新した。この株高を牽引しているのがＭ７と呼ばれるビッグ・テック企業（アップル、アルファベット、マイクロソフト、アマゾン・ドット・コム、メタ、テスラ、エヌビディア）である。Ｍ７の時価総額は、二三年初めから五兆ドルも増加して一二兆ドルに膨らみ、Ｍ７の最近の最終利益率は二六％にも達している。

そもそも、コロナ・パンデミック恐慌をのりきるために膨大にばらまかれた緩和資金は、このかんの利上げの過程でもわずかに縮小されたにすぎない。ＦＲＢの資産は、コロナ前の四兆ドルから九兆ドルにまで一気に膨らみ、このかん量的引き締めをしてきているとはいえ、いまなお八兆ドルに達したままである。世界の主要中央銀行の資産総額は、コロナ前より一〇兆ドルも増えて二五兆ドルにのぼり、現在もなお二〇兆ドルに膨らんでいる。世界中にばらまかれたこれだけの緩和資金がグローバルに飛びかうことによって、現代世界の危機的な現実が覆い隠されているわけなのである。

Ｂ　中国排除の供給網構築に狂奔する米バイデン政権と習近平・中国の対抗

アメリカ・ニューヨーク株価の高騰など〝緩和マネー〟がもたらす金融的活況に包まれながら、世界経済はいま、米バイデン政権の対中国デカップリング（分断）のゴリ押しと、これに対抗して習近平・中国がめざすＢＲＩＣＳを基軸としたゆるやかな経済圏および通貨システム構築の蠢動とがぶつかり合って、きしみを轟かせながら〈脱グローバル化〉へとむかい、構造的危機を深めつつある。

「地球は十分に大きく中米両国の共存は可能だ」とうそぶき、いまや世界の「覇権」奪取の意志を隠そうともしない中国・習近平。ネオ・スターリニスト官僚のこの挑戦にたいして、落日帝国の大統領バイデンは、対中国の軍事包囲網づくりに狂奔すると同時に、対中国デカップリング政策への同調を「同盟国・友好国」に強要し、先端半導体など「軍民融合」の高度技術とその担い手を中国から分断し囲いこむことに血まなことなっている。

「権威主義にたいする民主主義」「共通の価値観を持つ国々の連携」などという血塗られた「民主主義」のボロ旗（イスラエルのガザ人民大殺戮をささえるアメリカの「民主主義」！）を掲げたバイデン政権のこのゴリ押しは、そもそも「アメリカ国家の安全保障」という国家エゴイズムに徹頭徹尾つらぬかれたものでしかない。先端半導体などの重要物資をアメリカが安定的に確保するために、一方では政府債務の膨張に依拠した巨額の国家資金を投じて先端半導体の台湾TSMC誘致・アリゾナ工場建設に突進し、アメリカ国内での半導体生産の復活をはかっているのがバイデン政権なのである。国益最優先の保護主義的産業政策をおしすすめつつ、「同盟国・友好国」にたいして対中国デカップリング政策への協力を迫っているのだ。

こうして当初は、広汎な分野での中国排除のサプライチェーン構築をめざしたのがバイデン政権であった。だがしかし、このかん米・欧・日の諸資本が生産拠点の中国外への移転を進めてきているとはいえ、いまなお「世界の工場」の位置を占め、また「世界の市場」としても存在感を増している中国との関係を断つことは、アメリカ（および日・欧）の独占資本家にとってもダメージはかりしれない。それゆえ当然にも、EU諸国権力者やアメリカ国内外の独占資本家どもから「中国との分断は非現実的」として反撥を喰らったのであった（日本の政府・独占資本家は、右往左往しながら水面下で〝対中関係維持〟に動き回った）。

テスラEV(電気自動車)の四割(七五万台)を上海工場で生産するテスラのイーロン・マスクは「デカップリングに反対し、中国事業を引きつづき拡大する」と宣言し、半導体企業エヌビディアのCEOは中国への先端半導体の輸出禁止は「大打撃」と抵抗した。また売上高の四割を中国に依存するドイツの自動車企業フォルクスワーゲンは、バイデン政権に中国での生産継続を認めさせるよう独ショルツ政権を突きあげた。

そもそも中国は、太陽光パネルや電池とこれらの製造に必要な重要鉱物の世界最大の生産国であり、脱炭素経済への転換に没落欧州の復活をかけるEU諸国権力者にとって、中国との貿易を遮断することは容易には受けいれられないことなのだ。(中国の太陽光発電パネルの生産シェアは世界の八割超、風力発電機は六~八割を占める。EV向け電池の四分の三は中国企業が生産しており、またEUはリチウムの九七%を中国からの輸入に依存している。)

こうした抵抗をうけてバイデン政権は、「デリスキング(リスク低減)」などとラベルを貼り替え、①軍事転用可能なアメリカ先端技術の中国への流出阻止、②特定資源・製品の過度な中国依存からの脱却、に絞った対中国分断政策に〝修正〟し、「フレンド経済圏」(財務長官イエレン)なるものの形成を「同盟国・友好国」にゴリ押ししてきているのである。

アメリカ・バイデン政権のこうした策動にたいして中国・習近平政権は、「製造業の重要産業チェーンの核心技術をめぐる難関を克服」するための「外資誘致と利用拡大」を唱え、反撥が渦巻いているバイデン政権の足もとを見透かしつつ、高度技術をもつ外国企業の誘致強化・「利益」誘導によって、先端技術サプライチェーンからの中国排除を食い破る画策をくりひろげている。二三年八月には、日・米の半導体製造装置の輸出規制に対抗して、半導体素材に使われるガリウム関連製品の輸出を許可制にすることをうちだした(中国はガリウム生産で世界シェアの九八%を占めている)。また、EV電池用に不可欠のニッケルについて、世界生産の五割をになうインドネシアの精錬所の七割が中国資本であることをおしだし、重要サプライチェーンから中国企業の原料や部品の排除を狙う米・日権力者を牽制したりしている。

こうした対立の激化のなかでいま、現実には、アメリカ資本の中国への直接投資は急減してきている(日本資本の対外進出も中国からインドやタイにむかいはじめた)。バイデン政権による制裁措置および習近平政権の対抗措置を警戒して、帝国主義諸国の独占体諸企業は中国への進出を控える動きを強めているのである。こうした動きのゆえに、世界の貿易量は二三年七月までの十ヵ月間で四・二%減を記録し、二三年一~八月のアメリカの輸入に占める国別割合では、中国が十五年ぶりに首位から陥落した。このことは、〈経済のグローバル化〉のなかで拡大しつづけてきた世界貿易の転機をしめすものであるといえる。

〝グローバル・サウス〟をハブとした供給網への再編

とはいえ、バイデン政権による重要物資の中国を排除したサプライチェーンづくりは——落日帝国にふさわしくというべきか——、アメリカの狙いとは異なって、供給網が複雑化して貿易コストが増大しただけで、重要な原材料の供給については依然として中国に依存せざるをえない、という現実をうみだしてきている。それどころか、「フレンド経済圏」づくりを唱えて、バイデンのアメリカが「同盟国・友好国」として囲い込みをはかっている東南アジア諸国などが、逆に中国との経済的結びつきを強めるという事態をもたらしてもいるのだ。

たしかに米・中間の直接的な経済関係は急速に縮小し、アメリカのアジアからの輸入の三分の二を占めていた中国からの輸入は半分に減少して、インドやメキシコ、東南アジアからの輸入に転換してきている。一六年には四八〇億ドルにのぼった中国企業の対米投資も、二二年には三一億ドルに激減した。けれども、対米輸出が増大している東南アジア諸国では、これにともない、中国からの中間生産物の輸入が急激に増えているだけではなく、中国企業の進出も相次いでいる。アメリカへの自動車輸出を増やしているメキシコもまた、中国からの自動車部品輸入を急増させ、中国企業の直接投資も増えている。製造分野での供給元としての中国の優位性が揺らいでいないだけではなく、〝グローバル・サウス〟と呼ばれるこれらの諸国と中国との経済的結びつきがかえって強化されているのである。〝グローバル・サウス〟の新興国・途上国にとって、中国からの直接投資や中間生産物輸入を受けいれ、完成品にしてアメリカに輸出することが経済成長の基軸になってきているのだ。

実際、米バイデン政権のデカップリング政策を受けて、中国に進出している日・米・欧の独占体諸企業は、生産拠点の東南アジア諸国などへの移転をはかっているのであるけれども、こうした動きの機先を制するかたちで、中国企業が、ベトナムやタイ、メキシコなどへの直接投資・生産拠点進出を展開している。中国BYDはベトナムでのEVの製造、組立てへの設備投資拡大をうちだしている。ASEAN主要国への中国の直接投資残高は二一年に五二〇億ドルにのぼり、アメリカを上回った。タイへの中国の直接投資は、早くから生産拠点を構築してきている日本より七割も多く、首位に立っている。メキシコでも中国企業の工場建設が相次いでいるのである。

要するに、アメリカ帝国主義・バイデン政権の中国排除の「フレンド経済圏」づくりのゴリ押しは、中国を供給元にしたまま東南アジア諸国やメキシコなどの〝グローバル・サウス〟をハブとするものへとサプライチェーンの再編を促しており、そうすることによってこれらの諸国にたいする習近平・中国の影響力を強める結果をもたらしてもいるわけなのだ。

そもそも「フレンド経済圏」構築などといっても、落日の帝国・アメリカが策していることは、「唯一の競争者」・中国を蹴落とし覇者の座を維持することにほかならない。

バイデン政権は、トランプによるTPP(環太平洋経済連携協定)離脱を引き継いで立ち上げたIPEF(インド太平洋経済枠組み、日・豪・印・東南アジア諸国などが参加)において半導体・希少鉱物などの中国を排除したサプライチェーンづくりを呼びかけ、IPEFをアジアにおける「フレンド経済圏」として構築することを目論んでいる。けれども、トランプのアメリカが「アメリカ・ファースト」を叫んでTPPを離脱したのと同様に、バイデンのアメリカもまたIPEFでの関税引き下げ交渉については国内製造業保護の姿勢をむきだしにして拒否しているがゆえに、「フレンド経済圏」づくりは当然にも進んでいない。東南アジア諸国権力者がIPEFに参加している最大の眼目はアメリカへの輸出拡大なのであって、彼らは同時に中国との経済関係の維持・拡大をもめざしているのだからである。〝グローバル・サウス〟諸国権力者にとって、バイデンがふりかざす欺瞞に満ちた「民主主義」「共通の価値観」などは問題ではなく、経済成長こそが最優先の課題であり、帝国主義諸国からもネオ・スターリン主義中国からも経済的利益をひきだすことが、彼ら権力者の価値基準なのである。

まさに、米・中激突のもとでの自国の生き残りのために、どちらにも与せず双方から経済的利益をひきだすために立ち回っているのが〝グローバル・サウス〟諸国の権力者にほかならない。そして、こうした権力者たちの動きを睨んで、習近平の中国がいま、アメリカの中国包囲網を突き崩すために、「非先進国」の大国を自任し「内政不干渉・経済支援」を掲げて、BRICSを基軸として〝グローバル・サウス〟を束ねる画策を強めているのであり、この中国と〝グローバル・サウス〟の盟主の座を競っているのが、「自立外交」を掲げつつ、IT産業を基礎にした製造業立国をめざしているモディのインドなのである。

C　ドル体制に挑戦する中国・BRICSの蠢動

存在感を高める〝グローバル・サウス〟を基盤にして、いま中国・習近平をはじめとするBRICS諸国権力者が策動を強めているのが、〈ドル体制〉への挑戦にほかならない。

＜プーチンの戦争＞にたいして米・欧・日帝国主義諸国がおこなったロシアへの経済制裁――ロシア中央銀行保有の外貨準備三〇〇〇億ドルの凍結と、ＳＷＩＦＴ（国際銀行間通信協会、世界の二〇〇以上の国・地域の金融機関が参加する米ドル主体の国際決済ネットワーク）からのロシアの主要銀行の締め出し。このことが、習近平・中国をドル基軸通貨体制に風穴を開ける現実的挑戦に駆りたてたといえる。ＢＲＩＣＳを基軸としたドルに縛られない国際決済システム構築として追求されつつあるこの挑戦はいま、米バイデン政権による対中国デカップリングへの参加を迫られたうえに、ＦＲＢの急速な利上げによって自国通貨下落・インフレ昂進・ドル資金流出に翻弄され、ドル基軸通貨体制への反撥を強めている〝グローバル・サウス〟の新興国・途上国権力者に、広汎に受けいれられ滲透してきているといってよい。（二三年八月のＢＲＩＣＳサミットにおいて、南アフリカ大統領ラマポーザは、「ＢＲＩＣＳはグローバル・サウスの擁護者になる」と宣言した。）

　中国が主導してうちだしたＢＲＩＣＳの新通貨導入構想（国際取引用のデジタル通貨「Ｒ５」導入の構想）、この基盤をうちかためるために、ＢＲＩＣＳ各国はこのかん、自国通貨の信用力の引き上げをめざして、各中央銀行の金保有量を急ピッチで増やしてきている（中国は二三年四～六月の金保有量を一九年四～六月より一〇％増、インドは二九％増、ロシアは六％増）。しかも、ＢＲＩＣＳ構成国そのものを拡大してきた（二三年八月にアルゼンチン、サウジアラビア、イラン、ＵＡＥ（アラブ首長国連邦）、エジプト、エチオピアの新規加盟を合意）。サウジアラビアとイラン、ＵＡＥは一大産油国であり、拡大ＢＲＩＣＳの原油生産量は世界の四〇％を占めることになった。また、アルゼンチンはブラジルやロシアなどと並ぶ穀物輸出大国である。このことは、原油・食糧・鉱物資源の貿易を信用力の基盤にして、新通貨「Ｒ５」の導入を実現しようとしていることをしめしている。〔アルゼンチンはＢＲＩＣＳ不参加を表明〕

　この「Ｒ５」導入構想を中心にして、中国が主導する新興国・途上国のドル離れをめざす動きは、いまや次のようなさまざまなかたちで現出してきているといえる。

（1）このかんデジタル人民元での決済額「一兆八〇〇〇億元（三五兆円）」の実績を積んできた中国は、香港・タイ・UAEとも相互のCBDC（中銀デジタル通貨）で決済しあう実験を開始している。習近平は「一帯一路」経済圏にCBDCを組みこむことによって、人民元をドルと並ぶもう一つの基軸通貨とする追求に拍車をかけているといえる。

（2）サウジアラビアは、石油取引の人民元での決済などドル以外の決済通貨も認めることに踏みだした。

（3）ブラジル大統領ルラは、アルゼンチン、ウルグアイ、パラグアイとのメルコスル（南米南部共同市場）四ヵ国首脳会議（二三年五月）において「共通通貨での決済」を宣言。貿易決済におけるドル依存を減らす試みに着手している。

（4）ASEANは、域内決済で地域通貨の使用を促進するタスクフォースの設置に合意した。

（5）インドは、自国通貨ルピーによる国際貿易決済にふみきり、イギリスやロシアなど十八ヵ国とのルピーでの決済を開始している。

（6）アルゼンチンは二三年四月から、中国からの輸入品決済に人民元を導入した。〔だが、年率一四〇％の狂乱インフレと債務累増を抱えるなかで、中央銀行廃止・ドル通貨導入を「公約」に掲げたミレイが大統領に就任した（十二月）ので、政策転換。〕

習近平の中国が先導してきた〈ドル体制〉への挑戦は、いまやアメリカの金融支配に翻弄され反撥を強める〝グローバル・サウス〟諸国のなかに支持を拡げ、ドルに縛られないもう一つの国際決済システムの追求として、現実的におしすすめられつつある。

アメリカが政府債務を累増させ、米国債の信用格付けの引き下げがなされている（ムーディーズ・インベスターズ・サービスは米国債の信用格付けを「安定的」から「ネガティブ」に引き下げた）なかでのこうした動きは、ドル通貨の信頼性を揺るがし、世界金融危機をひきおこす現実性をしめすものにほかならない。――二三年十二月にニューヨーク金市場において金価格が一オンス＝二一〇〇ドルを突破し、三年四ヵ月ぶりに史上最高値を更新した。このことは、直接的にはウクライナ・中東情勢の緊迫化のなかで投機資金が金市場に流入することによってもたらされている事態であるとはいえ、根本的には中国が先導するドル離れの動きがドル基軸通貨体制を揺るがしかねないがゆえに、通貨価値を根底で規定している金の存在が輝きを増していることを、いいかえればドルをはじめとする各国管理通貨が根本的には金から離脱しようとしても離脱できないということを、しめしているものにほかならない。

D　不動産バブル破綻に喘ぐ「市場社会主義国」中国

いまや世界の「覇権」奪取の意志を隠そうともせず、ＢＲＩＣＳを基軸に〈ドル体制〉への挑戦に現実的にも踏みだした習近平・中国。だがその足もとはいま、深刻な経済危機に激しく揺らいでいる。ゼロコロナ政策の解除によって見込んだ「急速な景気回復」は夢と消え、都市開発・住宅建設バブルの崩壊と地方政府の債務膨張・財政危機が深刻の度を増しているのである。

不動産大手の恒大集団に続いて二三年七月には最大手の碧桂園も経営破綻を露わにした。二三年夏までに債務不履行に陥った大手不動産企業は、上場企業五十五社のうちの二十九社におよんでいる。（うち二十七社は民営企業。国有企業については急激なバブル破裂を抑えるために、地方政府が支援・救済に走っている。だがそうすることによって、地方政府の財政危機をさらに深刻化させているのである。）

不動産企業が巨額の債務を抱えて次々と破綻に追いこまれているだけではなく、地方政府もまた債務を累増させ財政危機を深めていることのゆえに、これまで経済の下支え役として濫用してきたインフラ整備事業・公共投資をもはや展開できなくなっていること、このことが中国経済の落ち込みを激しくしている。まさに、このかんの中国経済の高速成長を牽引してきたところの都市開発・住宅建設をテコとした経済成長方式の全面的破綻が露わとなっているのである。――二二年末の地方政府債務は七〇〇兆円余、地方政府が設立した投資会社の融資平台が発行する城投債が一一〇〇兆円余の合計一八〇〇兆円余にのぼる（城投債は地方政府の隠れ債務）。中央政府の債務五〇〇兆円余を加えた政府債務はＧＤＰ比一一〇％にまで膨らんでいる。地方融資平台は一万以上もあり、それらの多くが資金繰りの危機に陥っているといわれている。

「先富起来」を掲げて鄧小平がうちだした「改革開放」路線のもとで、中国ネオ・スターリニスト官僚は、三十一の地方政府(省・自治区・直轄市)を「自力更生」的に競わせながら経済成長をおしすすめる方式を採ってきたのであった。とりわけ、〇八年のリーマン・ショックのりきりのために四兆元「内需拡大」財政支出政策をうちだしてからは、不動産開発に力を入れるよう地方政府の尻を叩いてきた。これに促迫されて各地方政府は、土地使用権を国有や民営の不動産企業に売却して不動産開発事業を展開させるとともに、この土地使用権の売却収入に依拠してインフラ整備事業をこぞって推進し、こうして中国の高速成長をつくりだしてきたのである。

まさに、ＧＤＰの三割を占める不動産関連投資を推進力とし、政府のインフラ投資や諸産業の設備投資につなげるというかたちでの大規模な固定資産投資を続けることによって、この高速成長はつくりだされてきた。〇九年～二二年の固定資産投資（産業設備投資、不動産投資、政府のインフラ投資など）の累計額は実に六六四兆元(一京三〇〇〇兆円)に達する。巨額の債務を累増させそれに依拠しながら、およそ十四年間にわたって続けられてきたこうした方式そのものが、もはや完全にゆきづまっているのだ。

いまや各地で住宅建設工事やインフラ整備の中断が相次ぎ、未完成の高層マンションの鬼城(ゴーストタウン)が増殖するとともに、労働者の解雇・賃金未払いが激増している。二年間も賃金未払いという企業もあちこちに現われている。こうした労働者への悪辣な犠牲転嫁にたいして、労働者たちはいま、中国政府の強権的弾圧に抗して、各地でストやデモに決起しはじめている。賃金未払いなどにたいするこうした闘争は、二三年一～九月の間に一一四八件にのぼり、地方に拡大してきているという。都市ではたらく多くの労働者、とくに約三億人の農民工は苦境を深め、若者は失業率が四〇～五〇％に達しているといわれるほどに追いつめられているのだ。ゼロコロナ政策解除後も「個人消費」が回復しないのは当り前なのである。

こうして、住宅販売が伸びず、それゆえ車や家具・家電製品なども売れない、という国内需要の低迷のゆえに在庫をかかえた中国企業はいま、東南アジアなどを中心に全世界へダンピング輸出を始めている。このダンピング輸出が、世界的インフレの〝沈静化〟に貢献することにもなっているというわけである。

中国経済の危機をさらに促進しているのが、米バイデン政権による対中国デカップリング政策の強行がもたらしている経済的ダメージにほかならない。先端半導体などの高度技術製品だけではなく、それ以外の「モノ」の中国への輸出や直接投資をも、帝国主義諸国の独占資本家どもは控えはじめているからである。

これにたいして、習近平・中国は、この分断を食い破るために、対抗措置をちらつかせつつ、EVや太陽光パネルなど中国を供給元とする重要サプライチェーンを維持・強化することをめざし、ASEAN諸国やメキシコなどへ積極的に直接投資・工場進出をはかっているのである。とくにEVについては、完成車だけではなくバッテリーやモーターとそれに不可欠な鉱物資源を囲いこむことによって、中国企業を基軸としたサプライチェーンを構築するために、ASEAN諸国などへのEV工場移転を急増させているのである。（いまや中国製EVはASEAN諸国やEU諸国を席巻しており、EVを核とした中国自動車産業は「世界のEV工場」として外へむかって攻勢を強め、日本を抜いて自動車輸出世界一に躍りでている。）

中国・習近平政権は、こうした追求を、同時に〝グローバル・サウス〟諸国をひきつけ中国主導で束ねていくものとしても、積極的におしすすめている。十年目をむかえた「一帯一路」構想が「債務の罠」への反撥などでゆきづまるなかで、習近平政権は「量から質へ」を掲げ、取り組みの重点をこれまでのインフラ建設融資から〝グローバル・サウス〟の脱炭素化支援へと転換をはかろうとしている。まさに、そのためにも、中国を基軸としたEVや太陽光パネルのサプライチェーンの構築・強化に突進しているのである。

バイデンのデカップリング政策を食い破るための、外にむかっての習近平・中国のこうした追求は、東南アジア諸国やメキシコをハブとしたサプライチェーンへの再編の進展として、効を奏しつつあるかにみえる。けれども、中国に進出した米・欧・日の諸企業だけではなく、中国企業までもがアメリカのデカップリング政策をかわすために〝グローバル・サウス〟諸国へ生産拠点を移転する動きを強めていることは、中国国内においてはこれら諸企業が生産拠点の縮小・統廃合を強行し、労働者を大量解雇することと直結しているのである。中国企業の〝グローバル・サウス〟への進出によるサプライチェーン維持の追求は、不動産バブル崩壊と相まって中国国内の経済危機を深め、失業者の増大に拍車をかけるものにほかならないのだ。「共同富裕」などという看板で蒙蔽《モンピー》をはかろうとも、多国籍化した中国企業が国外において利潤を増やし、国内では労働者・人民の生活苦と雇用不安を増幅するというかたちで、ネオ・スターリニスト官僚層・資本家どもと労働者・人民との対立はいよいよ深まっているのである。

まさにそれゆえに習近平を頭とするネオ・スターリニスト官僚どもは、この社会経済的矛盾の深まりを「和平演変」の危機の高まりと感覚して危機感を増幅し、これを抑えこむために、香港での国家安全維持法施行、新疆ウイグル自治区での管理教育、海外NGOへの管理徹底、反スパイ法の強化などなどの強権的弾圧に狂奔しているのだ。莫大な国家資金を核戦力の増強や半導体の国産化などに集中し、かつて帝国主義の植民地支配に蹂躙されてきた中国が「世界の中華」として「人類運命共同体」を領導するときが到来している、と中華ナショナリズムを宣揚しながら。

これこそは、スターリン主義ソ連邦の無残な自己崩壊を〝他山の石〟とし、共産党指導の「人民民主主義独裁」を堅持し「資本主義を大胆に利用せよ」と説いた鄧小平の路線のもとに、「富国」の道を突っ走ってきたネオ・スターリン主義中国の「窮途末路」(断末摩)をしめす以外のなにものでもない。

現代世界経済はいま、習近平・中国のこの社会経済的危機の深まりを基底的要因とし、没落帝国アメリカの中国分断政策のゴリ押しに規定されながら、欧州などを中心にして停滞の様相を色濃くし、また〝グローバル・サウス〟では政府債務デフォルト危機に陥る国ぐにが相次いでいる。こうしたなかで、ひとり〝堅調〟とされ世界経済を〝牽引〟しているとされているのが没落帝国のアメリカにほかならない。だがその内実は、金融的活況のもとでの「個人消費」の伸びでしかなく、債務膨張に依拠した虚飾に満ちたものにほかならない。一握りのビッグテック企業が巨額の利潤を世界中からむしり取ることにささえられたものであるといってよい。このゆえに、アメリカ社会では、階級分裂とそれにもとづく社会的二極化がいよいよ深刻化している。

この凄まじさを如実にしめしているのが、ニューヨーク・マンハッタン区における所得格差の実態である。ＩＴ技術者など所得上位二〇％の層の年収平均が五四万ドル(八一〇〇万円)に達するのにたいして、所得下位二〇％の外食・サービス・運輸などで酷使されている労働者たちの年収平均はわずか一万ドル(一五〇万円)でしかないのだ。

〔現代アメリカ経済については、改めて分析することとしたい。〕

現代帝国主義世界はまさに末期的様相を露わにしている。この現実を根底から覆すために、スターリン主義の反マルクス主義的本質をあばきだし、真のマルクス思想で武装した労働者階級のインターナショナルな闘いをつくりだすのでなければならない。

〈解説特集〉

イスラエルのガザ人民殺戮を許すな

イスラエル軍がジャバリア難民キャンプに大型爆弾を投下し大殺戮

パレスチナ人民の苦難の歴史と闘い

イスラエルのネタニヤフ政権は、ガザ全域への砲爆撃と地上部隊の侵攻を再開した。この二ヵ月間でイスラエル軍は、一万八〇〇〇人余りのパレスチナ人民を殺害した（二〇二三年十二月十日現在）。

〝ガザ北部のシファ病院にハマスの司令部がある〟などと軍事攻撃を正当化してきたイスラエル軍は、いまや「南部にも重要拠点がある」などとほざいて南部への総攻撃を強行している。南部最大都市ハンユニスやラファの住宅地を爆撃し酷たらしい大殺戮に狂奔しているのだ。ガザ自治区そのものをなきものにする悪逆無道な軍事攻撃を断じて許すな！

このネタニヤフの犯罪行為を全面的に支えているのがバイデンのアメリカだ。国連事務総長グテレスの「人道的な大惨事の回避」要請に応えてアラブ首長国連邦（UAE）が安保理に提出した「即時停戦と人質解放」を求める決議案、これを拒否権を行使して葬りさったのだ。殺人鬼ネタニヤフ率いる極右政権を全面支援するバイデン政権を弾劾せよ！「イスラエルとの連帯」を公言する岸田政権を弾劾せよ！

すべての労働者・学生諸君！たたかうパレスチナ・中洋イスラーム圏人民と連帯し、今こそイスラエルのガザ軍事侵攻に反対する反戦の闘いを一大前進させようではないか。本特集では、パレスチナ問題の歴史的起源、さらに、アメリカを筆頭とする帝国主義諸国とスターリニスト・ソ連邦との相互対抗・相互瞞着の歴史など、各分野にわたる解説を掲載した。闘いの一助としていただきたい。

ハマスのパレスチナ解放闘争

イスラエル・シオニスト権力の残虐なジェノサイド攻撃を打ち砕くために、パレスチナ・ガザ地区の全住民の先頭で血みどろの死闘をくりひろげているのがハマスだ。ガザの住民に深く根を張っているこの組織は一九八七年に、第一次インティファーダ(民衆蜂起)の開始に応え、宗教的福祉団体「ムスリム同胞団」を再編し軍事部門をもつ組織として結成された。正式名称はイスラーム抵抗運動、ハマスはその略称である。アラビア語のハマースには「熱情」という意味がある。

ハマスは十月七日に「イスラエル領内」への越境突撃を敢行した。パレスチナの地を必ずや奪還するという意志を、ハマスはヨルダン川西岸や東エルサレム、イスラエル国籍や国外離散の全パレスチナ人民に示し、彼らを鼓舞しているのだ。

アラブ諸国の権力者どもがイスラエルとの国交樹立にはしり、PLOアッバス指導部がアメリカ帝国主義の手先になり下がるという二重の困難に抗して、ハマスはいまやパレスチナ解放闘争の最先頭に立っている。この組織は、「人種差別的」で「植民地的」な占領からの全パレスチナ人の解放をめざす戦略に立脚し、パレスチナを「アラブとイスラムのウンマ(共同体)の中心」と位置づける理念をもってこの戦略を基礎づけている(以下、二〇一七年の「ハマス憲章」より)。

ハマスは「パレスチナ」の領土を「東のヨルダン川から西の地中海まで一体の領土単位」と規定し、「一九四七年までパレスチナに住んでいたアラブ人」の子孫すべてを「パレスチナ人」と規定する。そして、「アッラーの祝福」を受けているエルサレムを首都とし現在のイスラエル領の全土に「完全主権のパレスチナ国家」を樹立することを戦略として明示している。

この「パレスチナ」をハマスは、「宗教、文化、政治的所属に関係なく」、つまり宗教やエスニシティによって差別されない多宗教・多民族の一単位として位置づける。だから彼らは明言するのだ。「ユダヤ人を彼らの植民地計画と同一視しているのはシオニスト」であり、ハマスは「ユダヤ人にたいして闘争するのではなく、パレスチナを占領するシオニストにたいして闘争する」のだ、と。

この戦略を明示しつつ同時に、当面の戦略として、「いかなるパレスチナ人の権利も放棄することなく、一九六七年六月四日の線に沿って」「完全に主権を有する独立したパレスチナ国家の樹立」をめざすとしている。しかし、ガザと西岸に国家を樹立するさいにも「エルサレムを首都とする」ことと「帰還の権利」という「難民の大義」、この両者を絶対に放棄せず、アラブ諸国人民に全パレスチナ解放の檄を飛ばしているのだ。

ハマスは、当面の戦略を実現するために、イスラエルによって完全封鎖されているガザを拠点にして種々の闘争戦術を駆使してたたかってきた。「天井のない牢獄」に閉じこめられている二〇〇万余ものガザ人民の困窮を打開するために福祉・医療・教育などの諸活動をくりひろげつつ住民に深く根を張る組織をつくりだし、同時に、武装抵抗をおこなう戦闘組織「カッサム隊」をつくりだしてきた。

さらに、イスラエル軍にたいする武装抵抗だけでなく「帰還大行進」(二〇一八年)のような大衆闘争をもくりひろげ、エルサレム問題や帰還問題を棚上げにしたオスロ合意に反対する諸勢力との共闘関係を強化する追求もつづけた。こうして、アッバスの自治政府を下から換骨奪胎する基盤を創造してきたのだ。二〇〇六年の第二回議会選挙で圧勝したハマスは、現在にいたる五度ものイスラエル軍との果敢な戦闘をつうじて、西岸地区や東エルサレムにおいてもますます支持者を増やしてきた。このゆえにシオニストどもの憎悪を一身に受けているのである。

シオニズムとは？

ガザ人民大殺戮に突進している現ネタニヤフ政権は、「神がユダヤ人に約束した土地にユダヤ人国家イスラエルを建設する」と公言する狂信的シオニストの集まりだ〔二〇二二年十二月にネタニヤフの「リクード」が極右シオニスト諸党を抱きこんで発足〕。一九九三年のオスロ合意を否定し、ゴラン高原を含むパレスチナ全域を名実ともにイスラエル領に併合することを企んできた連中だ。「パレスチナ人は存在しない、パレスチナの歴史も文化も存在しない」「イスラエル国内からアラブ人を追放せよ」「ガザ地区を核攻撃するのも選択肢のひとつ」などと、現政権の閣僚でもある極右シオニスト政党の幹部どもがほざいた。これらは現政権の本性を端的に示している。

今日のイスラエル政府は、パレスチナ全土併合策動を「神との約束」の名で推進する狂信的シオニストがにぎり、かつてオスロ合意をＰＬＯと結んだ労働党――パレスチナとの〝共存〟を一応は認めた伝統的なシオニズムの党――は泡沫政党に転落している。

シオニズムの運動と組織は十九世紀末の欧州でつくりだされた。帝国主義段階に突入したもとで欧州諸国の権力者は、植民地争奪戦と結びついた帝国主義間争闘戦に勝ちぬくためにナショナリズムを称揚した。これと同時に、激化する階級闘争を抑制するために、資本家にたいする労働者の怒りの矛先を〝守銭奴＝ユダヤ教徒〟に転嫁する排外主義を扇動し、ユダヤ教徒排斥運動を組織したのだ。〔その極限形態が、ナチス・ドイツによるホロコーストにほかならない。〕

これに対応して「シオンの丘」＝エルサレムを中心地とするパレスチナにユダヤ民族国家を設けることを呼号したのが「世界シオニスト機構」を組織したユダヤ教徒だ。彼らの構想は西欧帝国主義の階級矛盾を根源とする「ユダヤ人問題」を、パレスチナに暮らすアラブ人民から土地を強奪することによって「解決」しようとするものであった。それゆえに西欧支配階級の一部がこれを支援した。

この運動は当初はパレスチナの一角にユダヤ人自治区を設けることを目標にしていた。自治区ではなくユダヤ国家の樹立をめざす運動は「修正シオニズム」とよばれた。それを支援したのが在米ユダヤ人であり アメリカ政府・支配階級だ。

（上）シオニスト軍事機構の示威行進（1948年）
（下）収容所に送られるパレスチナ人民（同）

アメリカ帝国主義の政府・支配階級は、東西冷戦のもとで、スターリニスト・ソ連邦に支えられた「アラブ社会主義」国家群に対抗する拠点として、イスラエル国家を育成した。ソ連邦に対抗して中東産油地域を支配するという世界支配戦略にもとづいて。

一九六七年の第三次中東戦争におけるイスラエルの圧勝、これを「神が約束の土地をユダヤ人に与えるために起こした奇跡」と解釈する狂信的なシオニズムがイスラエルにおいて跳梁跋扈した。これとアメリカにおけるキリスト教原理主義＝福音派が宗教的に結びついた。福音派は八〇年代にレーガン共和党政権の支持基盤となり、二〇〇〇年代には「対テロ戦争」の名で中東侵略を強行したブッシュ政権・ネオコン派を、そして今日ではトランプを熱狂的に支持している。

このアメリカ政府・支配階級とりわけ福音派が、「リクード」のタカ派シオニスト政権を一貫して支えているのだ。

「ナクバ」——パレスチナ問題の起源

イスラエル軍のガザ総攻撃は、ガザの市街を破壊しつくし全住民をこの地に住めなくしてしまうという〝民族絶滅〟の攻撃いがいの何ものでもない。いままさにくりひろげられているシオニスト国家によるアラブ人民の迫害と大殺戮、このパレスチナ問題の発端は、アメリカ帝国主義国家に支えられたシオニストによって一九四八年に強行されたイスラエル建国にある。このシオニスト国家の暴力的樹立こそが、アラブ・パレスチナ人民にとっての「ナクバ」(大厄災)であり、ナクバは今なお続いている。これこそがパレスチナ問題の核心なのである。

国連総会において、パレスチナ全体の五六%をユダヤ人居住地域として与え、エルサレムを国連管理下におく分割決議が採択された(四七年十一月)。——この時点までは、ユダヤ人の人口はパレスチナ全体の三分の一、所有していた土地は全体の六%であったにもかかわらず。この国連決議は、米・欧の帝国主義諸国とソ連スターリン主義国家との政治的駆け引きによって成立したものであった。

この決議を錦の御旗としてシオニストどもは、代々にわたって生活を営んできたパレスチナの人民をば強制追放し虐殺し陵辱するという蛮行のかぎりをつくした。「無条件降伏」さえも認めず住民を無差別に虐殺してパニックに陥れるという悪逆無道の「追放作戦」を次々に実行したのだ。そのうえ、住居も耕作地も破壊しつくして帰還を不可能にした。こうして実に八〇万人にものぼるパレスチナ人民を叩きだしユダヤ人国家の建国を宣言したのだ。

シオニスト国家によるアラブ民族・領土の略奪に反発を昂じさせたエジプト、シリアなどアラブ諸国家は、連合軍をパレスチナに送りこんだ。だがアメリカの軍事支援を受けたイスラエルの強大な軍事力によって、アラブ諸国は完敗を喫した(一九四八年、第一次中東戦争)。

この結果、パレスチナ全土の七七%、国連分割決議で与えられた支配地域の一・五倍にあたる地域を占領し強奪したのがイスラエルである。

領土強奪はこれで終わらなかった。一九六七年、イスラエルは、エジプト、シリア、ヨルダンに奇襲攻撃をしかけ、ヨルダン川西岸地区、ガザ地区、シナイ半島、ゴラン高原を占領した(第三次中東戦争)。その後、エジプトに返還されたシナイ半島をのぞく全占領地で、ユダヤ人の入植が今も続けられている。

こうしたイスラエルによるパレスチナ軍事占領の歴史的前提となっているのが、イギリスのいわゆる〝三枚舌外交〟である。

第一次世界大戦のさなかにイギリス政府は、アラブ人民にたいしてパレスチナの地に独立国家を樹立することを約束した(一九一五年、フサイン・マクマホン協定)。それは、中東の植民地支配をなしとげるために、中東の大国であったオスマン帝国からの「独立」をめざしていたアラブ人民を「反トルコ」の戦争に動員し協力させる、という術策であった。

これとほぼ時を同じくして、イギリスは、フランス・ロシア両国とのあいだで中東を三ヵ国が分割支配する密約をとりかわした(一九一六年、サイクス・ピコ協定)。さらに、パレスチナにユダヤ人ナショナル・ホーム(民族的郷土)の建設を認める「バルフォア宣言」を発表したのがイギリスであった(一九一七年)。このバルフォア宣言にもとづいてイギリス政府は、自国の委任統治領であったパレスチナにユダヤ人の入植をうながした。

だが、第二次世界大戦直前にイギリスは、アラブ諸国を政治的にひきつけるために、バルフォア宣言を破棄しパレスチナ人の国家を樹立することを宣言した。このイギリスの豹変にシオニストは反発した。彼らは、ニューヨークのビルトモア・ホテルで開催されたシオニスト特別会議でユダヤ人国家樹立方針を決定した(一九四二年)。これを支援したのがアメリカの支配階級であった。

こうして、ナチスによるホロコーストを逃れたヨーロッパやソ連圏のユダヤ人が、第二次大戦中・戦後に大挙してパレスチナに入植を開始したのだ。

ＰＬＯの変質と裏切り

パレスチナ解放機構（ＰＬＯ）は、アラブ諸国連合軍が第三次中東戦争（一九六七年）に完敗して以後、パレスチナ解放闘争をアラブ諸国権力者に代わって牽引してきた。だが、ＰＬＯ指導部は一九九一年のソ連邦の崩壊によって支えを失い、イスラエル・シオニストとアメリカ帝国主義に屈服してパレスチナ解放の大義を投げ捨てた（一九九三年のオスロ合意）。そして、アラファトに代わった議長アッバスの「パレスチナ自治政府」は、いまやガザ人民の闘いとは完全に無縁な存在になりはてている。彼らがかくも変質したのはなぜか。

歴史的にふりかえるならば、ＰＬＯ指導下の闘争は以下の四段階を経て今日にいたる。

（１）ＰＬＯは当初、難民キャンプを拠点にしてゲリラ闘争をくりひろげた。最大の難民キャンプのあるヨルダンの首都アンマンにＰＬＯ本部を置いて、一九六八年にアラファト率いるフェダイーン（義勇軍）がイスラエル軍を撃退する戦果をあげたのだ。とはいえ、ヨルダンが戦場にされることを嫌った国王フセインがＰＬＯ弾圧に方針を転換し、このゆえにＰＬＯの部隊はヨルダン軍による大虐殺（一九七〇年の「黒い九月」事件）に直面した。こうして、レバノンの首都ベイルートへのＰＬＯ本部移転を強いられたのである。

これ以後ＰＬＯは、イスラエル占領地を拠点としたパレスチナ人民の組織化を放棄して、ハイジャックなどで世界の注目を集める「極左」戦術を行使したのであった。パレスチナ人民から浮きあがった彼らは、イスラエル軍のレバノン軍事侵攻を受け、ＰＬＯ指導部が中東からチュニジアに叩きだされるという決定的な敗北を喫したのだ（一九八二年）。

（２）パレスチナの地から切り離されたＰＬＯ指導部は、ヨルダンから西岸を、エジプトからガザを譲りうける約束をかわしてこの両地を「パレスチナの領土」とすることを宣言し、パレスチナ解放の大義を投げ捨てた(一九八五年アンマン合意)。これ以降、PLOはアラブ権力者に依存する存在へと変質を深めていった。

占領支配に怒るガザとヨルダン川西岸のパレスチナ人民が一九八七年にインティファーダ(民衆蜂起)に起ちあがった。これに応えてハマスが結成されたのであるが、その後もアラファト指導部は人民の組織化をおこなわず、権力者に頼る路線をとった。一九九〇年に、イラクが占領したクウェートにPLO本部をおこうと画策したことが、それである。PLOはこの結果、湾岸諸国の権力者からも見放されてしまった。

(3)一九九一年に、ソ連邦の崩壊という決定的な事態が生起した。これによって一切の後ろ盾を失ったアラファト指導部は、米クリントン政権の誘いにのってイスラエルの労働党ラビン政権との取り引きに応じ、「オスロ合意」をとりかわしたのだ。この合意は、エルサレムをパレスチナの首都とする、という大義を投げ捨て難民の帰還権も放棄して、ただ警察機構をもつだけの「自治政府」をイスラエルから与えられてパレスチナ人民を〝統治〟する、というものでしかなく、まさにシオニストの軍門にくだる大裏切り以外のなにものでもなかった。

オスロ合意にもとづいて一九九四年に発足したアラファトの自治政府は、第二次インティファーダ(二〇〇〇～〇二年)がアルカーイダの9・11ジハード自爆攻撃にも触発されて激烈にたたかわれたさいにも、これを抑制する役割を果たしたのである。

(4)イスラエル軍によって包囲・幽閉され、もはや死に体と化していたアラファトが二〇〇四年に謀殺され、代わってPLOと「自治政府」の議長の座を奪ったのが、米ブッシュ政権の手先と化したアッバスにほかならない。自治政府議長アッバスは、二〇〇六年の第二回議会選挙で成立したハニーヤ首班の内閣を承認せず、ガザをファタハの警察部隊で制圧しようとして叩きだされたのであった(二〇〇七年)。

アメリカの対中東政策

バイデン政権は、トランプ前政権のパレスチナ政策をほぼ踏襲している。トランプが強行したアメリカ大使館のエルサレム移転、ゴラン高原のイスラエル領への併合承認、これらをそのままにしているのだ。またトランプが推進したＵＡＥ、バーレーンとイスラエルとの国交樹立(「アブラハム合意」二〇二〇年)を受け継いで、サウジアラビアとイスラエルとの国交交渉をうながしてきた。

トランプのエルサレムへの大使館移転強行は、イスラム教とユダヤ教とキリスト教の聖地であるエルサレムをイスラエルが軍事占領している現状、これをアメリカが容認する宣言だ。もはやアメリカがエルサレム問題を核心とするパレスチナ問題の「解決」にとりくむ意志がないことを内外に示したのだ。これは歴代アメリカ政府の中東政策の歴史的大破産の所産でもある。

（1）一九九一年のソ連邦の自己崩壊を『共産主義』にたいする『自由・人権・民主主義・市場経済』の勝利」と謳歌した軍国主義帝国アメリカは、中東・イスラム圏諸国に米軍を駐留させ、アメリカン・スタンダードをおしつけた。これがムスリム人民の反逆を呼び起こした。二〇〇一年九月十一日、アメリカの経済・軍事中枢を狙ってアルカーイダが〈ジハード自爆攻撃〉を敢行したのだ。

これに逆上してアメリカが強行したアフガニスタンとイラクにたいする軍事侵略・占領支配は、ムスリム民衆の果敢な反米闘争によって惨憺たる破産におわった。アメリカ帝国主義は政治的・軍事的の権威を完全に失墜させた。

（2）権威回復を狙ってオバマ政権が「中東民主化」の名で専制的権力者にたいする民衆の反抗を煽った。これはオバマの予想を超えてイスラム勢力の台頭を呼び起こした。これにたいするエジプト軍部のクーデタそしてシリア・アサド政権の人民弾圧などを招き、中東を大混乱に叩きこんだのだ。

二〇一三年にオバマは「アメリカは世界の警察官ではない」と宣言して中東・中洋世界には二度と軍事侵略をしないと宣言した。中東におけるアメリカの権威はさらに失墜したのだ。

その裏面において進行していたのが、アメリカ国内のシェールオイル開発だ。アメリカ自身がサウジアラビアを上回る産油国となり中東諸国から石油を輸入する必要がなくなった。それゆえに中東産油諸国の権力者のアメリカにたいする要求——「パレスチナ問題の解決」のとりくみ、そしてイスラエル・シオニスト政権にたいする規制・統制など——を考慮する必要性もなくなったのである。

（3）アメリカは中国主敵の世界制覇戦略にもとづいて、アメリカの核軍事力配備の重点を中東からアジア・太平洋地域に移動させた（イラクとアフガニスタンからの米軍撤退）。

こうしてアメリカ帝国主義の中東政策は、世界最大の石油産出地域・中東における〝唯一の同盟国〟イスラエルの安全保障の維持・強化に絞られたといえる。アメリカ帝国主義の支配階級・政治エリートの中に深く根を張った「ユダヤ・ロビー」があり、彼らがアメリカ政府の基軸的政策に＜イスラエル防衛＞を据えさせているのだ。

さらにイデオロギー的・宗教的根拠がある。

もとよりアメリカの支配階級は自国の建国史すなわち先住民を虐殺して土地を奪いとったそれを、「神が約束した土地（新大陸）を文明化した」と描いてきた。このアメリカ建国神話を「神がユダヤ人に与えた地にイスラエルを建国した」というイスラエルの建国神話に重ねあわせてアメリカを「新しいイスラエル」と描き、イスラエルへの親近感を人民に植えつけてきたのがアメリカ支配階級である。

加えてアメリカ福音派は〝ユダヤ人がパレスチナ全域を支配すればキリストが再臨する〟という聖書の神話を金科玉条にしているのだ。

アメリカとイスラエルを〝神に選ばれた特別な国〟と描くことは、アメリカ帝国主義の利害を排他的に貫徹することを正当化するイデオロギー的詐術である。

スターリン主義ソ連邦の犯罪

パレスチナ分割とイスラエル国家建設を勧告する国連決議第一八一号の採択（一九四七年十一月）に、ソ連政府代表グロムイコ（当時外務次官）は賛成票を投じた。これに先立って彼は、「単一の民主連邦国家形成はもはや不可能」「パレスチナを二つに分割すべきだ」とソ連政府の公式見解を明らかにした（同年五月）。この直前まで彼はアラブの味方ヅラをして、シオニズムを「ユダヤ・ブルジョアジーのアラブ労働者搾取の運動」と非難し、分割案に反対していたのだが、これは表向きのことでしかなかった。すでにスターリンは一九四五年二月のヤルタ会談のさいにチャーチルに、「パレスチナの解決はユダヤ人国家の樹立しかない」と語っていたのだ。

スターリンは、パレスチナを委任統治下においていたイギリス帝国主義を中東から排除するために、石油資源の独占を狙って中東にのりだしつつあったアメリカ帝国主義との結託の道を選んだのだ。そして、イスラエルが独立すればアラブ諸国との戦争勃発が確実だと見こんで、その責任をアメリカに転嫁しつつアラブ世界にソ連の地歩を築くことを策したのである。

翌四八年五月にシオニスト機関が「イスラエル独立」を宣言するや、そのわずか十一分後にこれを承認したアメリカ大統領トルーマンにつづき、三日後に法的に正式承認したのもソ連政府であった。

これこそは、「一国社会主義」ソ連邦の国家的官僚的利害を最優先して、パレスチナ人民の階級的利害をふみにじる、スターリンの権謀術数にほかならなかったのである。

スターリンの死後クレムリン官僚の頭目にのしあがったフルシチョフは、「平和共存」戦略にのっとり、二大体制間の「平和共存」を脅かさない範囲で親ソ連的な「民族民主国家」に「経済援助」という名のひも付き援助をおこない、それをつうじて当該国家の経済発展をうながし「社会主義陣営」のがわに引きつけていく、という対後進国政策をとった。

　こうした路線にのっとってソ連政府は、アラブ民族主義者ナセルのエジプトにアスワン・ハイダムの建設支援やチェコスロバキア製武器の供与などの経済・軍事援助を与えた。エジプトを親ソ連国家として囲いこむために、「反帝・反植民地主義」を掲げる軍事ボナパルチスト権力者でしかないナセルが共産党や労働運動を徹底的に弾圧し階級闘争を根絶やしにすることをも、あえて容認する犯罪に手を染めたのがクレムリン官僚なのだ。

アフガニスタンから撤退するソ連軍（1988年）

　第三次中東戦争（六七年）において、アメリカ帝国主義の軍事支援によって強大化したイスラエル軍の電撃的な先制攻撃のまえに、エジプト・シリア・ヨルダンのアラブ連合軍は大敗北を喫した。

　アラブ諸国家の軍事力を結集してパレスチナの解放をなしとげようとしたナセル主義（汎アラブ主義）は、ここに破産をあらわにし本質上終焉したのである。

　そして、ナセル亡き後を継いだサダトは第四次中東戦争（七三年）でシナイ半島を奪い返した後、エジプト一国の国家エゴを主張する民族ブルジョアジーの要求に突き動かされて親米政策に転じ、アメリカ政府の仲介のもとにイスラエルとの和平協定の締結＝キャンプ・デービッド合意（七八年九月）にはしった。それはとりもなおさず、フルシチョフ＝ブレジネフ式の対後進国政策の破産にほかならなかったのだ。こうしてPLOのもとに推進されていたパレスチナ解放闘争はアラブ諸国の支援を失い、窮地に追いこまれていった。

　七九年末にソ連正規軍が、国内のイスラム・ゲリラを弾圧できずソ連離れをはかった親ソ「友好国」

アフガニスタンへの軍事侵略を強行した。この事態は、スターリニズムの反労働者性を、全世界の労働者・人民のまえにふたたび三度さらけだした。「ソ連社会主義」の権威失墜とそれへの嫌悪が全世界に蔓延し、イランのシーア派イスラム革命によってひき起こされたイスラム・ラディカリズムの台頭ともあいまって、パレスチナ解放運動においても「ソ連＝共産主義＝ムスリムの敵」への怒りが、アラブ民衆のあいだに広がった。以後、イスラム思想がパレスチナ解放運動の指導理念として台頭していくことになったのだ。

労農兵ソビエトの革命ロシアがスターリン主義官僚専制国家へと変質させられ、腐蝕と停滞と圧政の代名詞となりはてたスターリン主義ソ連邦。そのスターリン主義からの脱却を、ブルジョア民主主義と商品経済の導入によってやってのけたのが、ソ連共産党最後の書記長ゴルバチョフであった。ゴルバチョフは、「国家間関係の脱イデオロギー化」の名のもとに、全世界の反帝・反植民地主義闘争の伝統をひきつぐ後進諸国にたいする支援をかなぐり捨て、帝国主義諸国との宥和にはしった。この〈アンチ革命〉ゴルバチョフは、現代帝国主義の植民地主義的本質を免罪するとともに、全世界の労働者階級・被抑圧人民を階級支配の軛のもとに放置する世紀の大犯罪に公然とふみだしたのだ。

この対外政策上の変節は、中東においては、一九九一年に勃発したアメリカの対イラク湾岸戦争にさいして、イスラエルへのミサイル攻撃に踏みきったサダム・フセインを非難しアメリカ帝国主義に加担する〝帝ソ連合〟としてあらわれた。

一九九一年にスターリン主義ソ連邦が、ゴルバチョフ自身の手によって自己解体的崩壊をとげた。ここにPLOは最後的に後ろ盾を失い、米欧権力者の圧力に屈して「檻の中の自治」を受け入れたのだ。

――今日の〈パレスチナ民衆の悲劇〉には、スターリニスト・ソ連邦のこうした重畳する犯罪とその自己崩壊という世界史的な大罪が、重く影を落とし深く刻みこまれているのである。

イスラエルは1947年いらいずっと「領土」を強奪し拡大してきた。現在、ヨルダン川西岸の大半がユダヤ人の入植によって侵食され寸断されている。右下の図は2010年のもので、その後13年間に、パレスチナ自治政府の「統治」地域は、もっと狭められている。

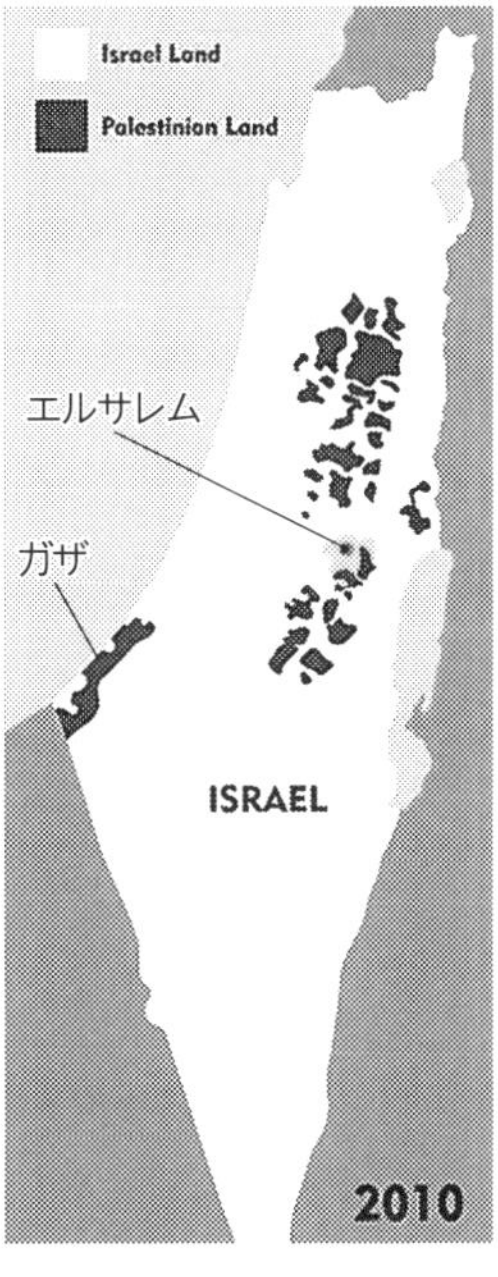

ガザを「天井のない牢獄」に閉じこめる壁

パレスチナ一九一五―二〇二三

1915 イギリスがオスマントルコからのアラブの独立を約束（フサイン・マクマホン協定）
16 英仏露がパレスチナ分割・植民地支配の秘密協定（サイクス・ピコ協定）
17 イギリスがパレスチナへのユダヤ人の民族郷土建設をシオニスト連盟に約束（バルフォア宣言）
42 **ユダヤ機関が米で「ユダヤ国家建設」宣言**
45 ナチス・ドイツ降伏。ナチス支配下で推定で600万人のユダヤ人が殺害された
47・11 **国連が米ソ結託で181号決議を採択。パレスチナをイスラエル国家とアラブ国家、国連管理下のエルサレムに分割**
48・2 シオニストが5つの村でパレスチナ人を虐殺・追放、英軍が黙認
48・5 **英軍撤退、イスラエルが「独立」を宣言、米・ソがあいついで承認。第1次中東戦争（〜49・4）**
56・7 エジプトがスエズ運河の国有化を宣言
56・10 第2次中東戦争
64・5 PLO（パレスチナ解放機構）創設（アラブ連盟の一員として）
67・6 **第3次中東戦争。イスラエルがヨルダン川西岸、エジプト領ガザ地区とシナイ半島、シリア領ゴラン高原を占領**

1967・11 国連決議242号、占領地からのイスラエルの撤退を勧告
68・3 アラファト率いるファタハがヨルダンの難民キャンプでイスラエル軍を撃退
69・2 アラファトがPLO議長に
70・9 ヨルダンに弾圧されPLOがベイルートへ
73・10 第4次中東戦争。OPECが石油戦略を発動
78・9 **エジプトとイスラエルが米の根回しで単独和平（キャンプ・デービッド合意）**
79・1 イラン・イスラム革命
79・12 ソ連軍がアフガニスタンに侵攻
82・9 イスラエル軍がPLOをチュニジアへ追放決定
85・12 アラファトがパレスチナの領土をガザとヨルダン川西岸に限定することでヨルダン・エジプトと合意（アンマン合意）
87・12 **ヨルダン川西岸とガザ地区で第1次インティファーダ始まる。ハマス結成**
90・8 PLOがイラクのクウェート侵略を支持
91・1 アメリカ同盟軍がイラク攻撃（湾岸戦争）
91 **ソ連邦崩壊**
93・9 **アラファトとイスラエル首相ラビンがパレスチナ暫定自治協定に調印（オスロ合意）**
2000・9 リクード党首シャロンが聖地ハラム・アッシャリーフに侵入。第2次インティファーダ開始
01・9 アルカーイダが米ペンタゴンと世界貿易センタービルにジハード自爆攻撃

2001・10 アメリカがアフガニスタン侵略戦争を開始

02・3 イスラエル軍がラマラに侵攻、アラファト自治政府議長を軟禁

03・3 米英がイラク侵略戦争開始

06・1 **パレスチナ自治評議会選挙でハマス圧勝**

07・6 ハマスがガザ地区からファタハ警察部隊を放逐。イスラエルはガザを封鎖

08・12 イスラエル軍がガザに地上侵攻（〜09年1月）

12・11 イスラエル軍がガザに8日間の攻撃

14・7 イスラエル軍がガザに地上侵攻（50日間）

18・3 ガザ封鎖撤廃を要求する「帰還大行進」開始。フェンスからのイスラエル軍の発砲に屈せず毎週金曜日にデモ

18・5 **トランプ政権がイスラエルの米大使館をテルアビブからエルサレムに移転**

2020・8 アメリカの仲介でイスラエルがUAE・バーレーンと国交を樹立（アブラハム合意）

21・5 東エルサレムでパレスチナ人立ち退き判決阻止の大規模闘争

21・5 イスラエル軍がガザ空爆（11日間）

21・8 米軍がアフガニスタンから敗走・撤退

22・12 ネタニヤフが狂信的シオニスト諸党と組んで政権奪取

23・3 イスラエルでネタニヤフの司法制度改悪にたいする反対闘争が高揚

23・7 ヨルダン川西岸ジェニンにイスラエル軍が地上侵攻

23・10 **ハマスがガザから越境軍事行動。直後からイスラエル軍がガザへの空爆と地上軍侵攻、人民ジェノサイドを強行**

1948年「ナクバ」

1987年 第一次インティファーダ

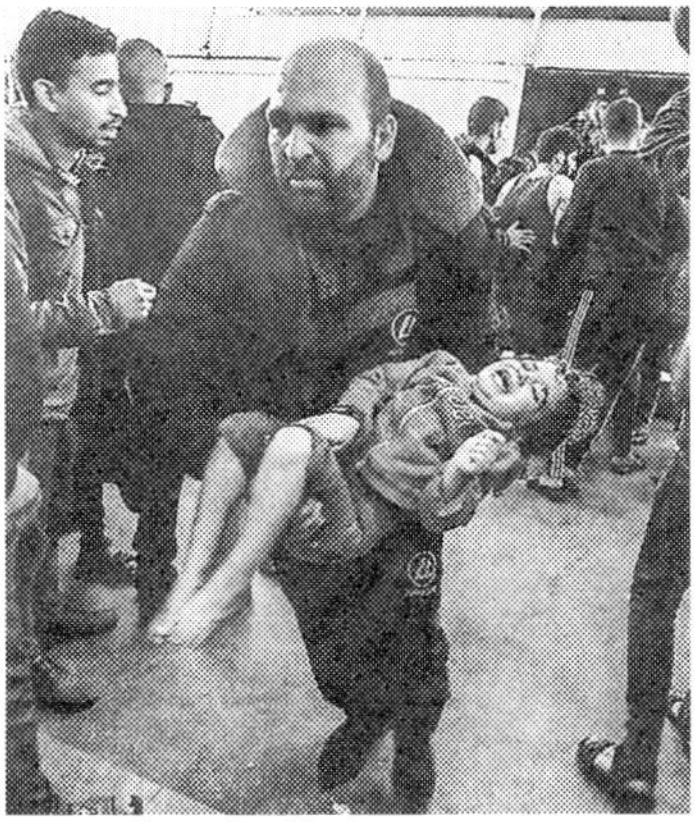
2023年12月 ガザ・ハンユニス

「ロッタ・コムニスタ」はプーチン擁護をやめよ！

笹山登美子

二十世紀の妖怪であるスターリニズムの根底的な超克を避けてきた一切の自称共産主義者は、今から約三十年前に現出した東欧社会主義諸国のドミノ的倒壊およびソビエト連邦そのものの崩壊によって、完全に思想的背骨をへし折られてしまった。このことをあらためて衝撃的に赤裸々にしたのが、ロシアのウクライナ侵略戦争にたいする自称左翼の対応である。

「マルクス主義者」「レーニン主義者」「トロツキー主義者」を自称する者たちを含む多くの左翼が、「NATOの東方拡大こそが問題だ」とか「ロシアだけでなくウクライナも武器を置いて停戦しろ」とかとつぶやいて、事実上「ロシア皇帝」たる虐殺者プーチンの擁護者となったのだ。

なかでも最もひどいのがイタリアのロッタ・コムニスタ（「共産主義者の闘い」・以下「ロッタ」と略す）である。彼らが「第六十一回国際反戦集会」に寄せたメッセージ（『解放』第二七九三〜九四号に掲載）にそれは示されている。もとより連帯メッセージのなかで何を書こうが目くじらをたてることではないが、それがあまりにも反労働者的＝反マルクス主義的であるとき、それなりの〝お返し〟をするのが礼儀というものであろう。

Ⅰ 「労働者は国境を守るな」?!

①彼らは、ロシアの侵略軍と必死に戦っているウクライナ労働者・人民に向かって傲然と言い放つ——

「ほんの数キロメートルの土地のために無益に命を削っている」と。ウクライナ人民は「小ウクライナの防衛主義という民族主義イデオロギー」に駆りたてられているのだ、と。

彼らは、ウクライナ人民の戦いにもそれに連帯しているわれわれの闘いにたいしても「民族主義」「偏狭でケチなナショナリズム」などとレッテル貼りをするのである。

②そして、この「民族主義」または「ナショナリズム」にたいして「労働者は祖国をもたない」というマルクスの言葉を対置し、これをしゃっくりのようにくりかえす。そして「労働者は祖国をもたない」がゆえに「労働者は国境を守ってはなりません」などと、実に偉そうに説教をたれるのだ。

③ロッタは、「民族主義」を否定するために、驚くべきことを言いだす。すなわち——

現代においては「労働者階級はあらゆる国境を越えて往来している」。この今日の帝国主義の時代には、「民族の権利」など論じるのは「無意味」である。「古びた民族問題はお払い箱にしよう」と。

Ⅱ 戦うウクライナ人民への悪罵

ロッタは、「共産主義者」を自称しているにもかかわらず、プーチン・ロシアのさし向けた侵略軍にたいして身を挺して戦っているウクライナの労働者・人民に、なぜこれほどまでに冷淡なのか。そしてなぜこんなにもプーチンへの怒りがないのか?!

プーチンは、旧ソ連の〝版図〟を復活させることをねらって、ロシア国家のもとにウクライナの国と民族を丸ごと組みこもうとしている。元スターリニストにしてKGBの小役人であったプーチンは、今ではピョートル大帝流の「大ロシア主義」をバックボーンとしている。だが、彼の行動原理と発想はスターリニスト・KGBのままである。このスターリンの末裔にして〝今ヒトラー〟のプーチンが命じたウクライナ軍事侵略であるからこそ、ロシア軍はウクライナの労働者・人民を蹂躙する暴虐のかぎりを尽くしている。

見よ！　ガザ人民にたいするネタニヤフ政権のジェノサイドと同様に、プーチンとその軍隊は、占領した町を瓦礫の山とするまでに破壊しつくし、人民を無差別に殺害しているではないか。ウクライナ人民にたいして虐殺・拷問・強姦・ロシア国内への連行をくりかえしている。子供はどんどん連れ去られ「ロシア人」化されている。そしてプーチンが併合を宣言した四州では、ウクライナの人々はロシア軍の軍服を着せられて同胞との戦いに駆りだされ、塹壕を掘らされ地雷を埋めさせられている。

このようなナチスと同断の民族抹殺に走る元スターリニストの蛮行を、「共産主義者」「国際主義者」を自称するロッタよ！　おまえたちは許すのか?!　一つの民族が潰されようとしているときに、「民族問題は古びている」とか「無意味だ」などと、どの面下げて言うのか。侵略者による殺戮や陵辱にたいして「たたかうな、それは祖国防衛主義の民族主義だから」などと言うのか。

虐げられ踏みにじられながらも必死に戦う労働者・人民と共存共苦できない者は、「共産主義者」でも「国際主義者」でもありえない。

一九五六年にハンガリー革命が勃発したとき、わが運動の創始者・黒田寛一は、こう喝破した。

「血を流してまでも、あくまでも抵抗しつづけるハンガリア勤労大衆のがわにたたないかぎり、問題の解決とはならない。ハンガリア民衆の血の叫びをわれわれ自身のものとなしえないかぎり、どのような理由づけがなされようとも、それは色あせてしまい、無意味となるのだ。いや無意味であるどころか、共産主義以前的であり、共産主義者失格なのだ。」（黒田寛一『現代における平和と革命』「東欧革命の問題性」――『黒田寛一著作集　第十七巻』九六頁、傍点は黒田自身）

暴虐に敢然と立ち向かう者を笑い・罵るおまえたちには、プロレタリア・ヒューマニズムがまったく欠如している。現実的なヒューマニズム、プロレタリア・ヒューマニズムのない、血も涙もない共産主義者などありえないのだ。

そもそもおまえたちはいったいどこの世界に生きているのか。大ロシア民族主義をふりかざしたプーチンによる〝ウクライナ民族抹殺〟を容認し、ウクライナ人民の抵抗を「無駄」と罵るおまえたちこそ、民族主義を助長するニセ国際主義ではないのか。ウクライナの地に行って「武器を捨てよ」「祖国を守るな」と言ってみるがよい。おまえたちがウクライナ人民から袋だたきにされることは確実であり、彼らから「同志」と呼ばれることは未来永劫、金輪際ないだろう。

Ⅲ　「労働者は祖国をもたない」の呆れた解釈

われわれが「虐げられた労働者・人民の立場に立て」と言うと、多くの左翼どもがさえずる――「それは感情論だ」「心情的だ」と。そして『共産党宣言』におけるマルクスのかの有名な「労働者は祖国をもたない」をもちだす。実際、ロッタは、反戦集会へのメッセージのなかでこの一句をホントにバカの一つ覚えのようにくりかえしている。

だが、「労働者は祖国をもたない」というこの一句をどのようにとらえるかは、共産主義者にとっての試金石の一つであるとさえいえる。

たとえばかつての日本共産党＝スターリニスト党は、これを「労働者は祖国をもたない。だから取り戻そう」と読み、そうすることによってみずからの「民族解放・民主主義革命」戦略の基礎づけにしようとしたのであった。他方、かつての小ブル革命妄想主義者ども――今では完全に雲散霧消してしまった輩たち――は、この一句と『ドイツ・イデオロギー』における実現されるべき世界革命にかんする「一挙に、あるいは同時的に」という叙述とを直結することによって、「世界同時革命」論なる観念妄想を唱えたのであった。

われわれは、マルクスの言いたいことをもう一度かみしめなければならない。マルクスは言う――

「共産主義者はさらに、祖国を、民族性を廃止しようとのぞんでいるものとして、非難されている(①)。

労働者は祖国をもたない。彼らがもたないものを、それからとりあげることはできない(②)。プロレタリアートは、まずもって政治支配をかちとって、民族的階級にみずからをたかめ、自分自身を民族として組織しなければならないという点では、ブルジョアジーの意味とはまったくちがうとはいえ、プロレタリアート自身やはり民族的である(③)。」(『共産党宣言』第二章、大月書店・国民文庫、カッコ内の数字は引用者)

①②を見れば明らかなように、これは共産主義者にたいしてブルジョア階級の側から加えられている様ざまの中傷に論駁するために、マルクスが相手の主張を逆手にとって、実に痛快に(まさに弁証法的に!)切り返しているところである。

この「労働者は祖国をもたない」というマルクスの輝かしい宣言は、まずもってブルジョア的生産諸力の世界史的発展とともに生みだされたプロレタリアートという「普遍的な経験的存在」(マルクス)の、歴史的使命にふまえたその本質的性格を明らかにしたものとしてとらえなければならない。

そしてマルクスは、③のプロレタリアートがいかにして各国プロレタリア革命を実現するかについては、『共産党宣言』の第一章で明確にしている。

――「ブルジョアジーにたいするプロレタリアートの闘争は、その内容からではないが、その形式上、最初は民族的である。いずれの国のプロレタリアートも、当然まず自国のブルジョアジーをかたづけなければならない。」

右の叙述は、各国革命のプロレタリア的な主体的推進構造を解明したものであり、他方『ドイツ・イデオロギー』における実現されるべき世界革命の「一挙に、あるいは同時的に」という展開は世界革命の一環としての各国革命の存在論的構造を解明したものとして、まさに統一的にとらえなければならない。そして各国の革命は、このような存在論的および主体的推進の構造をなすからこそ、タテにも（民主主義的任務の遂行からプロレタリア的任務の遂行へ）・ヨコにも（インターナショナリズムにもとづく各国革命の国際的な波及）連続的に完遂されていくのである。

「労働者は祖国をもたない」という一句だけをふりまわすロッタよ！　そもそも、プロレタリアという存在の本質論から直ちに革命的実践の指針が出てくるわけではない。このことは、マルクスの実践的唯物論のイロハなのである。

だがロッタにこのようなことを言っても、所詮「猫に小判」「豚に真珠」でしょうね。彼らは、労働者の存在論と自覚論と組織化論など、実にぐちゃぐちゃに混同している。プロレタリアという存在そのものの対象分析にかかわる問題とプロレタリアがみずからの本質を自覚するというプロレタリアの自覚にかかわる問題とプロレタリアをプロレタリアートとして組織化してゆくことにかかわる問題――これらの区別が、わがロッタはまるでつかないのだ。

それればかりではない。以下のような「民族主義」否定のためのメチャクチャな〝プロレタリアの存在論〟の開陳には、唖然とするしかない。

ロッタいわく――現代のプロレタリアは〝文字通り国境を越えている〟と。なぜなら「労働者階級はあらゆる国境を越えて往来している」し、ブルジョアジーも「安い移民労働」を活用し「新興諸国に資本輸出」もしている、と。

あらま、そうですか。グローバル経済のなかで「ヒト・モノ・カネ・サービス」が欧州の国境を越えて移動しているから、ブルジョア国家は国民国家であることをやめ、「労働者は祖国をもたな」くなっているのですか?! いったい「グローバル経済」ではで何が起こっているのか、目を開けて現実を見ているのか?

倒壊した東欧人民民主主義国の労働者たち、とくに若い労働者たちは、ドイツ帝国主義やフランス帝国主義などに出稼ぎに行き、そこでドイツやフランスの労働者の三分の一〜四分の一の給料で・しかも無権利状態で働かされている。「労働者は国境を越える、だから彼らに国境はない」などと主張するロッタは、このような現実をいったいどう考えているのか?

Ⅳ 「古びた民族問題はお払い箱に」?!

ロッタは言う――「古びた民族問題はお払い箱にしよう」と。とくに今日の帝国主義の時代には「民族の権利」など論じるのは「無意味」である、と。「古びた民族問題」とは、何なのか? マルクスをもちだすなら、もっともっとマルクスに学んだらどうなのか。

一八四八年に『共産党宣言』を発し、一八六四年に国際労働者協会(第一インターナショナル)を創設したマルクスは、一方では経済学の研究に邁進するとともに、他方ではヨーロッパのプロレタリア革命をめざしていわゆるフランス三部作に代表されるような革命論をも掘りさげていった。そしてそのとき、同時にマルクスはエンゲルスと共に、民族問題についても追求したのであった——露土戦争、クリミア戦争、中国問題、アイルランド問題、などの考察をつうじて。

マルクスとエンゲルスは、民族問題を論じるとき、「他民族を抑圧する民族は自由ではありえない」という立場に確固として立っている。そしてアイルランドのイギリスからの独立問題をきわめて重要視し、これについてマルクスは言っている。

「以前には私は、アイルランドのイギリスからの分離は不可能なことだと考えていた。今は私は、たとえ分離したのち連邦制をとることになるにせよ、分離は避けられないものであると考えている。」（マルクスのエンゲルスへの一八六七年十一月二日付手紙）

「アイルランド人に必要なのは、つぎのことである。一、自治とイギリスからの独立。二、農業革命。」（同一八六七年十一月三十日付手紙）

このマルクスとエンゲルスの伝統を受け継いで、レーニンが、多民族国家たるロシアにおける民族問題にかんして「分離ののちに連邦制」という原則をもって解決せんとしたことはいうまでもない。ブルジョアどもにたいして「労働者は祖国をもたない」と論駁したマルクスは、同時に民族問題については被抑圧民族の側につねに立ったうえで、その解決を考えていた。

ロッタよ！「それはマルクスの時代のこと」とか「今はレーニンの時代とは違う」とか「時代は変わったのだよ」とかと言いたいなら勝手に言うがよい。それは、ロッタのオツムが、現実と理論とを一対一的に対応させるスターリニストと同様のタダモノ主義であること、それゆえに修正主義者になりさがっていること、このことを自己暴露する以外のなにものでもない。

そもそもロッタは、民族意識・ナショナルな感情を、即「民族主義」「偏狭なナショナリズム」としてそれこそ排外的に否定する。だが、民族は非存在ではないし、人民が抱く素朴なナショナールな感情は——支配階級はたえずそれをブルジョア民族主義に染めあげていくことを策すのであって前衛党は不断にこれとたたかうのであるが——直ちに唾棄できるものではない。敵階級との血みどろの闘争のなかで生まれる労働者の団結と・「賃金奴隷」としての自己存在の自覚と・「日々絶対無に突き落とされている」(マルクス)疎外された自己存在からの解放を仲間と共に切り拓かんとする決意――これらを高めうち固めていくことによってはじめて、それは止揚されていくのだ。

また世界史の今日的現実が物語っているように、民族的対立は非存在であるどころか、世界のあちこちで火を噴いている。民族的対立とは、論理的に言えば、階級分裂という本質的矛盾が・現実的な諸条件のもとで現れでているものであって、仮象実在(シャイン)として存在しているのだ。

「労働者は祖国をもたない」「国家とはブルジョア国家である」と、マルクスの思想と理論をテーゼ化しお題目化して触れ回っていれば、世界革命が実現できるわけではない。だからこそわれわれ共産主義者は、不断の階級闘争の推進のなかで労働者階級の階級的な自覚化と組織化を倦まず弛まずおしすすめていくのでなければならないのだ。

ロッタが、マルクスの言を〝盾〟にして、帝国主義の時代には「民族問題などは無意味」などと言うにいたっては、もはや正気の沙汰とは思えない。おまえたちの起草した「国際主義者の会議」のアピールなるものが、帝国主義諸国や「市場社会主義国」中国による植民地主義や覇権主義に苦しむいわゆるグローバルサウスの多くの諸党から総スカンを食ったのもむべなるかなというものだ。

Ⅴ デタラメな情勢解説

ロッタの世界情勢のとらえ方は、あまりにもデタラメである。彼らがウクライナ戦争問題をめぐる情勢に言及するとき、驚くべきことに、世紀の犯罪者たるプーチンが出てこない。バイデンも習近平も、自国のメローニさえも、まったく出てこない。権力者が一人も出てこないのだ。いったい権力者への怒りはないのか?

彼らは、「ブルジョアジー」と「プロレタリアート」というすでに抽象化され概念化されたこの両者の「対立」図式をアテがうことでのみ世界を解釈するのである。だから当然にも、彼らは米—中の対立を軸とした〈東西新冷戦〉の構造も、まったく把握できない。

彼らが、このような実に無内容でしらけたノンポリ情勢解説屋以下の解釈ですませているのはなぜか。ロッタは、一定の労組にかかわりをもちながらも、日々の大衆闘争にはまったくとりくまないという。ロッタに所属する労組活動家たちも、組合としての経済的要求はするが政治的課題はまったくとりあげない。今世紀初め、アメリカ帝国主義によるイラクへの軍事侵略に反対して地球を三周するデモ津波が起こったときにも、ロッタは「反戦闘争は平和主義」などとぬかして闘争放棄を決めこんだ。大衆運動を組織しない彼らが精力的にやっていることは、情勢の解説などを載せた新聞や書籍の発行と労働者にたいする情勢評論の注入なのだそうである。

この〝実践なき情勢解釈主義〟の組織が、世界各地で戦争・飢餓・貧困・圧政に労働者・人民が苦しんでいることへの痛みも共感ももてないのは当然なのかもしれない。

だが同時に、そこには哲学の絶対的貧困が絡みついている。彼らの書くものにはプーチンやロシア権力者を主語にした文章がない。代わって出てくる主語が「帝国主義戦争」である。彼らは、帝国主義戦争がウクライナとロシアの双方の労働者を「無意味で反動的な殺戮戦に追いやってきた」などと論じる。〈誰が・誰にたいして・何を～〉など何もない。ただただ「帝国主義戦争が労働者を殺している」と言うのだ。だがこういう論じ方は、侵略者への怒りもなく暴虐と戦う者へのシンパシーもない小ブル・インテリのいやったらしい俗物的評論と同断のものではないか。

マルクスの理論をたんに枠としてではなく・いわんやドグマ（教条）としてではなく、その思想・そのイデー・その論理・その思考を丸ごと血肉化せんと格闘している真のマルクス主義者であるならば、ロッタの主張などは現実世界とはまったく無縁な観念の雲上での非実践的な解釈・非唯物論・非弁証法的なスコラ的形式主義・概念の実在化・実体論の欠如などなどの誤謬丸出しのものであり、マルクスの実践的唯物論をまったく理解していないことがたちどころにわかるのである。

Ⅵ　スターリニズムとの対決の欠如

ロッタの思想の根本的問題は、スターリニズムとの対決の欠如である。

　プーチンのウクライナ軍事侵略を「帝国主義戦争」などと安直にとらえてしまう彼らには、この戦争の画歴史的な意味をまったくとらえることができない。ソ連邦解体の後の旧共産党官僚たちによる・自己の地位を利用しての国有財産の簒奪、資本主義を復活させた亡国ロシアを襲った狂乱インフレと物不足、それゆえの勤労人民の塗炭の苦しみ。また、「圧政と抑圧と貧困」の別名であったソ連「社会主義」からの〝脱出〟のためにブルジョア的な「自由と民主主義」の体制選択に走った東欧諸国の人民の新たな悲惨――これら今から約三十年前のソ連邦崩壊を区切りとした世界の大激動の意味するものをなんらとらえられないのがロッタである。

　彼らは、ゴルバチョフとエリツィンによる革命ロシアの埋葬という世界史の逆転も、この事態を「地政学的惨事」などと強弁しつつ核兵器を武器に旧ソ連邦の〝版図〟の回復を企みはじめたロシア皇帝気取りのプーチンによるウクライナ強奪・民族抹殺の野望も、その意味をまったくとらえることができないのだ。

　そもそもロッタは、スターリンによる革命ロシアの簒奪も、一国社会主義論にもとづくソ連国家防衛のための各国革命への裏切りも、第二次大戦後の帝国主義とスターリン主義の角逐と瞞着についても、まったくとらえていないではないか。

　さらにロッタはふざけたことをぬかしている――「支持すべきウクライナのレジスタンスなど見たことがない」などと。よくもそんなことが言えたものだ！　〝かつてレジスタンスをやったイタリア〟だということを鼻にかけているのか?!　だが、ロッタはいまや「イタリア・レジスタンスの教訓」さえもまともに語れない。結局レジスタンスは「古い階級を延命させた」、だから「レジスタンスではなく革命を」などと彼らはのたまう。ロッタよ！ これが「教訓」なのか？ なぜ、スターリニズムとの対決を、一言も語らないのか。イタリア・レジスタンスの闘いのただなかでブルジョアジーと妥協しプロレタリア革命を押しとどめたのは、ソ連帰りのスターリニスト・トリアッティではないか。〔このトリアッティこそは、一九三六年からコミンテルン執行委員として内戦中のスペインに派遣され、人民戦線内部の〝ソ連派〟共産党員たちを指揮し、トロツキストやアナキストにたいする敵対・粛清をおこなった張本人にほかならない。〕

イタリアでも適用されたかの悪名高い「人民戦線戦術」の根拠は、スターリンの一国社会主義論と二段階戦略論にある。ヨーロッパ各地のレジスタンスにおいてスターリニストは、二段階戦略にもとづいてブルジョアジーとのズブズブの「統一と団結」をはかるとともに、プロレタリア革命に突き進もうとする左翼的な部分にたいしてはその肉体的抹殺をも企ててきたのだ。

ロッタよ！　スターリニストによって殺されていった「統一戦線」内部のトロツキストやアナキストたちの悔しさを、スターリニストへの怒りと階級的憎しみを、おまえたちはわからないのか？　レジスタンスをたたかったヨーロッパ左翼の歴史を背負っているならば、スターリニストの人民戦線戦術とその根拠である一国社会主義論や二段階戦略を徹底的に批判するべきではないか。

ソ連邦が崩壊しユーロ・ソーシャリズムをはじめ各国共産党の多くが解体してきたからこそ、いまこそスターリニズムとの対決が問われるのだ。

スターリン主義者の垂れ流しつづけてきたニセの「マルクス主義」があたかもマルクス主義であるかのように、いまなお全世界の労働者・人民にみなされている。また、ネオ・スターリン主義中国は、共産党の専制支配下で「市場経済」を推進しつつ、その対外膨張主義をむきだしにしている。そしてFSB強権支配下のロシアは、失われたソ連邦の〝版図〟を奪い返すことに狂奔している。これらのゆえに、「社会主義」「共産主義」は全世界の人民から忌避されてしまっているのだ。

スターリニズムと対決しその反マルクス主義的虚偽性を暴きだすことは、暗黒の二十一世紀の転覆をめざすすべての共産主義者の喫緊の課題なのだ。

「ロッタ・コムニスタ（共産主義者の闘い）」を名乗るのであるならば、一九五六年のハンガリー革命いらい一貫して「反帝国主義・反スターリン主義」を掲げてたたかいぬき、スターリン主義の誤謬を革命理論的にも経済学的にも哲学的にも全面的に完膚なきまでに暴きつくしているわが革マル派に、もっともっと学ぶべきではないか。

プーチンの弁護人をやめよ！「現代のヒトラー」プーチンの暴虐と戦うウクライナ人民を罵るのをやめよ！　そしてマルクスの言葉の一知半解をもちだしてマルクスを冒瀆し、労働者階級に害毒を垂れ流すのをやめよ！

もしもそれをしないのであれば、「コムニスタ」の名称を捨てよ！

大幅賃上げを勝ちとったアメリカ・UAWの長期スト

荷川取　進

全米自動車労組（UAW）の労働者たちは、GM、フォード、ステランティス（旧クライスラー）のいわゆる「ビッグ3」の経営陣にたいして、大幅賃上げなどの要求を突きつけ、二〇二三年九月十五日から三社同時のストライキ闘争に突入した。そしてこのストライキの力を基礎にして、十月下旬には三社すべての経営陣から「四年半で二五％の賃上げ」などの回答を相次いで引きだし、「暫定合意」を勝ちとった。「ビッグ3」の労働者が敢行したこの史上初の同時ストライキは約一ヵ月半（最長四十六日間）におよび、八工場・三十六の流通センターで約四万五〇〇〇人もの組合員がストに参加するという空前の規模となった（三社のUAW組合員は一五万人）。

UAWのショーン・フェイン会長は、「われわれは記録的な労働協約を勝ちとるため容赦なくたたかい、達成した」と勝利宣言をあげた。

勝利したスタンドアップ・ストライキ

四年に一度の労働協約の改訂にむけてＵＡＷは、三社経営陣にたいして次のような要求を掲げた。――①四年間で三六％の賃上げ（交渉開始時は四〇％要求、過去四年間において最高経営責任者ＣＥＯの報酬が四〇％以上あがったことを根拠にして要求）、②「二層賃金制」（既存の労働者の賃金はそのまま据えおき、新たに採用する労働者の賃金は前者の半額程度に抑えるという制度――註）の廃止、③賃金をインフレ率と連動させる生活費調整（ＣＯＬＡ）制度の復活、④退職者へのボーナス支給、⑤臨時工の待遇改善、⑥ガソリン車製造から電気自動車（ＥＶ）製造に移行しても労働者の雇用を保障すること（ＥＶへの移行が進めば生産に必要な労働者は四〇％も削減されるといわれている）。また、ＵＡＷは、ＥＶに搭載される電池やその他の部品の生産をおこなっている労働者にも、ＵＡＷの組合員と同じ待遇が適用されるよう求めた。

しかし、このＵＡＷの要求にたいして三社経営陣は、当初ことごとくこれを拒否した。これにたいしてＵＡＷは九月十五日に三社の工場でいっせいにストライキを開始し、それ以降週ごとにストの対象となる工場や施設を拡大してきた。そして、ストの長期化に備えて、工場の出入り口に配置しているピケ隊を一ヵ所十人程度にし六時間シフトで交代してストを続けたのである。さらに経営陣に要求受け入れを迫るために、次第に主力工場へストライキを拡大し参加人員を増加させていった。このような闘争方式を彼らは「スタンドアップ・ストライキ」と呼んだ。経営陣が頑なな態度を若干軟化させ労働協約の改訂に応じる姿勢を示した場合には、ストを縮小・中断したりして硬軟おりまぜながら粘り強くストライキを貫徹し、ついに勝利を勝ちとったのである。

十月下旬にＵＡＷが三社の経営陣と暫定合意した内容は、①四年半で二五％の賃上げ（会社側の初期回答は九％）、②「二層賃金制」の廃止、③ＣＯＬＡ制度の復活など、賃上げ率が当初の要求を下回った以外は、ほぼすべての要求を受け入れさせたものである。それ以外にも、工場を閉鎖する際に、ストを打つ権利を認めたり(フォード)、ＥＶむけ電池工場の労働者を労働協約の対象にすることを認める(ＧＭ)ことなども暫定合意した。〔十一月二十日にＵＡＷは、この暫定合意を組合員投票で批准・確認したと発表（賛成六四％）。〕

まさしく一ヵ月半の一大ストライキ闘争の力で、ＵＡＷの労働者はこれらの要求を勝ちとったのである。

ＵＡＷの組織存亡をかけた闘い

自動車大手三社にたいする労働協約の改訂の闘いで、ＵＡＷがこのようなストライキ闘争を貫徹しえたのは、なぜか。

第一には、狂乱的な物価高騰のもとでの資本による低賃金の強制と賃金格差の拡大への怒りである。前回二〇一九年の労働協約の改訂では、年三％の賃上げしか実現できず、「二層賃金制」の撤廃とＣＯＬＡの再導入さえ盛りこむことができなかった。その結果、賃金は下がりつづけ、一九九〇年いこう民間部門の時間当たりの賃金が全体として一七％以上増加したにもかかわらず、自動車産業の労働者の時間当たりの賃金は二〇％以上減少している。二〇〇八年のリーマンショックを機に「二層賃金制」が導入されて以降に、新たに採用された若年の労働者は格段に低い賃金を強制された。しかも二〇二一年後半からインフレが加速しており（二二年の物価上昇率は八％）、労働者の生活苦は深刻になっている。それに加えて健康保険や年金も劣悪なものになっていたのだ。「二層賃金制」の賃金体系は、賃金格差を拡大し労働者間の分断をよりいっそう進行させた。

しかもこの賃金抑制によって自動車大手三社は過去十年間で九二％も利益を増加させた。こうした低賃金の強制と賃金格差の拡大の状態を打開するために、ＵＡＷの労働者は大幅賃上げとＣＯＬＡ制度の復活、そして「二層賃金制」の廃止を経営陣に強く要求したのだ。

第二に、アメリカ自動車産業の衰退とともに進展したＵＡＷの組織的弱体化、これを突破することが、ＵＡＷ指導部にとって喫緊の課題となった、ということである。その課題の実現にむけて労働協約の改訂がさしせまった重要な課題としてあった。

旧来の労組幹部（労働貴族）の労使協調路線にもとづく組織指導のゆえに組織の弱体化が進行し、十数年前には約一五〇万人いた組合員が、現在は約四〇万人（自動車大手三社の組合員は一五万人）に激減している。一九七〇年代のピーク時の四分の一に減少しているのである。

フォードなどのスト突入支援集会後にＵＡＷ組合員がデモ
（23年９月15日、デトロイト）

かつて「アメリカの繁栄の牽引車」たることを自任してきた「ビッグ３」は、一九七三年と七九年の二度のオイルショックを境に経営不振に陥った。石油価格高騰のもとで燃費性能の良い日本車などに国内シェアを奪われたりしたからだ。リーマンショックの影響も重なり、二〇〇九年にはＧＭとクライスラーが経営破綻した。アメリカ自動車独占体は、政府の救済策に支えられつつ、延命・再建をかけ安い労働力を求めて生産拠点を海外に移転させた。そうすることによって、国内（北部・中西部）における自動車製造業部門の空洞化を進行させてきた。ＵＡＷの組合員も、大量解雇されて減少しつづけてきた。

しかも南部諸州に労働組合の結成を制限する「労働権法」（〝労働組合の制約を受けることなく働く権利〟を認める通称「反労働組合法」）が制定され、その影響を受けて南部諸州では労働組合の結成が困難になった。労働組合との団体交渉を回避でき安価な労働力を確保できる南部諸州に、外資系の自動車独占資本も目をつけて続々と生産拠点を建設したり移転させたりしたのである。ＵＡＷは、南部諸州において外資系の自動車工場（日産自動車やフォルクスワーゲンなど）に組合をつくることを追求したが、ことごとく頓挫した。外資系企業経営者によって「二層賃金制」（差別賃金）の弊害をキャンペーンされ、組合結成投票において敗北しつづけたのである。

それに追い打ちをかけるようにバイデン政権が、二〇三〇年には新車販売の半分を「排ガスゼロ車」にする、という目標を掲げた「ＥＶ加速化チャレンジ」計画をうちだし、自動車産業政策をＥＶ中心へと転換した（ＥＶ優遇策などもありすでに新車販売の約八％がＥＶになっている）。バイデン政権に後押しされた自動車大手三社の経営陣も、ＥＶの生産に力をいれるためにバッテリー工場の建設をおしすすめ、ガソリン車の生産拠点の閉鎖と人員削減を強行してきた。このＥＶへの転換という事業再編への対応が、ＵＡＷにとっての死活問題となった。たとえばバッテリー工場の労働者は、これまでのガソリン車工場の労働者と比較して、賃金が半分に抑えられている。

ＥＶへの移行の流れは避けられないという判断にもとづいて、ＵＡＷは新たなＥＶ関連生産施設（バッテリー工場など）へのＵＡＷ組合員の採用・移行を要求すると同時に、バッテリー工場の労働者も労働協約の対象とすることを強く求めたのである。

第三に、ＵＡＷの指導部が労働協約の改訂にむけて史上初の「ビッグ３」同時ストライキを実行することができたのは、ＵＡＷ執行部の改選が大きな転換点になっている。二〇二三年三月に、新たに会長に選出されたのは、反執行部派のＵＡＷＤ（民主主義のための全労働者の団結）のショーン・フェインであり、執行部派（「管理〔アドミニストレーション〕」コーカス」と呼ばれている）の候補を直接選挙で破って当選したのである。

それまでのＵＡＷ指導部は、長きにわたって労使協調路線をとる「管理コーカス」の全一支配のもとにおかれてきた。旧指導部は、自動車経営陣に僅かばかりの賃上げ要請をおこなったにしても、「二層賃金制」の撤廃やＣＯＬＡ制度の復活などにはまったくとりくまなかった。そればかりか経営者側への譲歩をくりかえして工場閉鎖を許し、多くの労働者の首切りを許してきたのだ。しかも二〇一九年には、UAWの幹部による組合費をめぐる横領、会社からの収賄、権力乱用などがあきらかになり、前会長二人と十人以上の幹部が横領などの罪で逮捕され、収監された。この「管理コーカス」の組合幹部の腐敗が露わになるなかで、下部の活動家たちが「自分たちの労働組合をとり戻す」ことを合言葉にして、UAWDを結成した。この内部からの「改革」の気運におされて、UAW執行部(当時)は、司法省との「和解」(二〇二〇年十二月)を経て、直接投票による組合役員の選出方式へと移行せざるをえなくなったのである(これまでの役員選挙は、大会出席の代議員投票で決められていた)。こうしておこなわれた直接選挙(二〇二二年十一月〜二三年三月)において、UAWDは「腐敗なし、譲歩なし、二層賃金制なし」というスローガンを掲げてたたかい、執行部五役のうち、新たに会長・書記長など四役を制したのである。新会長となったフェインは、就任早々に、「本来の組合員主導によるたたかう組合に立ち返る歴史的機会に直面している。労働者階級の将来がかかっているのだ」と発言し、労働協約の改訂にむけて強い姿勢を明らかにしたのだ。

こうした諸条件のもとで、UAWの指導部は今回の労働協約改訂にさいして、労組としての存亡をかけて闘いに踏みきったのだ。要求を経営陣が受け入れなければストライキを決行するという彼らの方針は、三社の組合員の九七%の圧倒的多数の支持を受けたのだった。こうしてUAWは、自動車独占資本家と一歩もひかない構えで対決し長期にわたる粘り強い闘いを展開し勝利を勝ちとったのである。

転機に立つアメリカ労働運動

UAWがストライキを決行して労働協約の改訂を勝ちとったことは、今後のアメリカの労働運動に大きな影響を与えるにちがいない。

UAWは、アメリカの労働運動の動向を決定する役割を担い、ほかの産別の労働組合にも影響を与えてきた。ＵＡＷ指導部が労使協調路線を採ってきたことによって、他の産別労働組合の指導部もこれに追随し、労使交渉で経営者にたいして譲歩と妥協をくりかえし、組合の弱体化を招いてきた。しかし、今回ＵＡＷが労働協約の改訂をめぐってストライキを決行し、各社に甚大な〝打撃〟（三社合わせて「五三億ドルの損失」といわれている）を与えて譲歩を引きだしたことは、怒れるアメリカの労働者たちを大いに鼓舞している。

フェインは、妥結後に「われわれは、ストライキの力と闘志を、他の産業や、より良い生活のためにたたかう準備ができている何百万人もの非組合員労働者にむけて投入する」、と高らかに宣言した。

このＵＡＷの闘いに驚きあわてて姑息な立ち回りをしているのが、ホンダやトヨタなど日系企業の経営陣である。ホンダ経営陣は、この妥結結果をみて直ちにアメリカ人従業員の賃金を一一％上げると発表した。「一一％」は、ＵＡＷが勝ちとった「四年半で二五％」という回答の初年度分と同じ数値である。またトヨタも、組立工の時給を九・二％引き上げると発表した。これらはいずれも、UAWが今回の改訂労働協約を武器にして自社内での組合の組織化をすすめることを防ぐための〝予防措置〟なのだ。

ところでバイデン政権は、UAWのストライキにたいして、「選択肢を行使する権利を尊重する」ともちあげるなど、見え透いた選挙対策のパフォーマンスを演じた。

バイデンは、二〇二四年次期大統領選挙で再選を果たすために、UAWなどの労組票を固めることを狙っている。彼は、労働組合をただもっぱら民主党の支持基盤として、またGDPをおしあげる消費意欲の相対的に活発な「中間層」とみなしているにすぎない。

しかし、このバイデンの思惑をもこえて、アメリカの労働運動は、大きなうねりをうみだしつつあるかに見える。全米映画俳優組合(約一六万人が加盟)や全米脚本家組合などのストにもしめされるように、二〇二三年にストライキを打ちぬきたたかった労働者は、九月時点で三六万二〇〇〇人、二一年同時期の三万六〇〇〇人の十倍に達している。資本家による首切りや労働強化・低賃金の強制といった攻撃にたいする労働者の反発と怒りが高まっているのだ。

こうした反撃の闘いをなんら組織化することなく、民主党候補への投票を上から指示しているだけなのが、UAWの上部団体であるAFL－CIO(アメリカ労働総同盟・産別会議)などの既成労働運動指導部なのだ。

あきらかにいま、アメリカの労働運動は大きな転機に立っている。労働組合の戦闘的団結の再生をかちとりうるか否か、それはひとえにアメリカ労働者階級の先進的部分が既成労働組合指導部の階級協調主義にもとづく指導をのりこえる組織的力をつくりだすこと、その一点にかかっているのだ。

註　二〇〇八年のリーマンショック後のアメリカ経済が危機的状態に陥るなかで、GMとクライスラーは、〇九年に経営破綻した。経営再建にむけて政府からの資金が投入されたが、その際に、この「二層賃金制度(Two-tier wage system)」が導入された。それとともに、賃金を物価上昇率と連動させる生活費調整(Cost of Living Adjustment)制度の廃止が強行された。

日本郵政のヤマトとの業務提携

激増する小物荷物の区分・配達を強制する経営陣

東　栄　次

日本郵政・日本郵便経営陣は、二〇二三年十月二日から、ヤマト運輸からもちこまれた「ネコポス」を「クロネコゆうパケット」と名称をかえ委託配達を開始した。二四年二月からは、「クロネコＤＭ便」を「クロネコゆうメール」の名称で委託配達しようとしている。

郵政経営陣は、歯止めのかからない郵便物減少と荷物分野でのシェア拡大の行き詰まりを打開するために、ヤマト運輸経営陣からもちかけられた「業務提携」に喜び勇んで飛びついたのである。絶対的な要員不足を強制してきた郵政経営陣は、いま収益を最大限確保するために、設備も人員も増やすことなく労働者をこき使ってヤマトからの委託配達を実施することに血眼となっているのだ。

職場でたたかう郵政労働者のみなさん！　われわれは、「事業の継続をはかるための重要なとりくみだ」とほざいて全面的に協力するJP労組本部を弾劾し、経営陣による飛躍的な労働強化の強制や労務管理強化に反対する闘いを職場から断固として創造していくのでなければならない。

1　業務提携による収益拡大を目論む経営陣

委託配達で激増するゆうパケット・ゆうメール

郵政経営陣が二三年六月にヤマト運輸と合意・発表した「業務提携」の内容は以下のとおり。①これまでヤマト運輸が引受・配達をおこなっていた追跡サービス付き薄型小物荷物「ネコポス」を、日本郵便が十月より段階的にその配達業務を引き受ける。②ヤマト運輸の「クロネコＤＭ便」については、二四年二月から配達業務のすべてを引き受ける。③日本郵便は、ヤマト運輸から引き受けた物量に応じて単価計算で委託料を受け取る。

この合意にもとづいて郵政経営陣は、ヤマト運輸が顧客から引き受けた「ネコポス」および「クロネコＤＭ便」をあらかじめ郵便番号上《かみ》二ケタ（都道府県別）に区分させたうえで日本郵便の全国六十二の地域区分局にもちこませ、これを他の郵便物と同様の区分・運送システムを使って配送する計画をたてた。そして、「郵便物も減少しており処理・配達可能」「二輪と四輪による相互協力で配達は可能」として十月からの実施に踏みきったのである。

経営陣は、配達遅延が社会問題化した「ペリカン便との宅配統合の失敗」（二〇一〇年）の二の舞を避けるために、「業務を確実に実施するためのスモールスタート」と称して、ヤマトからの「クロネコゆうパケット」の引き受けを地域別に五段階に分けて徐々に配達量を増加させようとしている。だが、移行計画の最終段階の二〇二五年二月にはヤマトからの委託配達は年間約四億個に達し、現在のゆうパケット約四億個に加えて薄型小物荷物が八億個になり倍増するのだ。

また二四年二月からは、ヤマト運輸から年間約八億個の「クロネコＤＭ便」をすべて引き受け「クロネコゆうメール」として配達することになる。日本郵便のゆうメールの取扱物数は年間約三一億個であり、一気に二五％もの増加となるのだ。「郵便物も減少しており処理・配達は可能だ」だと!?　郵政経営陣は要員を増加することもなく労働者に労働強化を強いることで収益拡大をなしとげようとしているのだ。ふざけるな！

一二億個分の荷物収益に飛びついた経営陣

日本郵政とヤマト運輸の経営陣は、今回の「業務提携」の目的を、①両者の経営資源を有効活用することで顧客の利便性向上に資する輸送サービスを構築し事業成長をはかる。②「二〇二四年問題」（「働き方改革」と称する時間外労働上限規制にともなうトラックドライバー不足など）への対応と環境問題（カーボンニュートラル）への貢献としている。日本郵政社長・増田寛也はこの「業務提携」を、「中期経営計画で示した『共創プラットホーム』の実現・強化につながる」などと、社会発展に貢献するかのようにおしだしているのだ。

だが、これまで荷物やメール便の争奪戦をくりひろげてきた両経営陣が「業務提携」にふみだしたのは、それぞれの思惑があるからにほかならない。

ヤマト経営陣は、「二〇二四年問題」をまえにして、拠点間輸送ならびに集荷や配達を担う労働者に超長時間労働を強制して利益をむさぼる経営手法の見直しを迫られている。同時に、「ネコポス」はネット通販拡大によりこの二年間で約一億個増加する一方で、「クロネコDM便」の伸びは頭打ちとなり日本郵便がしめるシェアを切り崩せていない。しかも増加する投函型の小荷物・DM便の仕分け・配送に要する固定設備の処理能力の限界や、配達コスト増大などの問題にも直面している。これらの打開のためにヤマト経営陣は、「利益率の低い」小荷物・DM便部門を整理・縮小し、「利益率の高い」宅配部門に設備や人員を集中させる改革にのりだしたのだ。

そのためにヤマト経営陣は、郵便物の減少にあえぐ日本郵便の現状につけこみ、みずからは投函型小荷物・DM便の顧客からの引受・集荷は継続して利益を確保しつつ、コストのかかる配達業務を日本郵便に〝丸投げ〟したのである。これによって、これまで散々こき使ってきた三万人もの配達に従事していた「個人請負」の労働者に「契約打ち切り」＝首切りを通告したのが、悪辣きわまりないヤマト経営陣なのだ！

他方で郵政経営陣は、中期経営計画の目標取扱数に到達し一二億個分の荷物収益をもたらすこのヤマト運輸との「業務提携」に涎をたらして飛びついた。経営陣は、ヤマトからの委託配達料として約一六〇億円の営業利益を見込んでいる（「クロネコゆうパケット」一一〇億円、「クロネコゆうメール」五〇億円）。しかし、「クロネコゆうパケット」の委託料単価は、日本郵便が取り扱っているゆうパケットの料金の六割から半額以下でしかない(註)。にもかかわらず経営陣は、何がなんでも一六〇億円の営業利益を生みだすために、新たな設備投資や要員増をいっさいおこなうことなく、大量に引き受けた郵便物の区分・輸送・配達をすべて郵便労働者に押しつけようとしているのだ。なにが「社会貢献」だ！

註　日本郵政がヤマトから引き受ける「クロネコゆうパケット」の委託料単価は一センチメートル以下の一五四円から三センチメートル以下の一九五円まで。日本郵便が取り扱っているゆうパケットの料金は一センチメートル以下二五〇円から三センチメートル以下三六〇円までである。

2　郵便労働者にいっそうの労働強化を強要

日本郵政社長・増田は、「クロネコゆうパケット」「クロネコゆうメール」の委託配達を実施するにあたって、「どれだけコストを合理化して利益をとれるか」とほざいている。そのために増田は、「オペレーション(業務運行)をうまく回していく」と称して、ゆうパケット・ゆうメールの激増を、現行の施設・設備や要員配置のままで処理・配達をさせようとしているのだ。これによって郵便労働者は、とてつもない労働強化と労働災害の危険にさらされるではないか。

飛躍的な労働強化――郵便内務労働者

①会社当局は、ヤマト運輸から地域区分局にもちこまれる「クロネコゆうパケット」は、都道府県別に全国一〇〇の地域ごとにケースに入れて区分されもちこまれるので「内務作業の負担は少ない」などとほざいている。バカも休み休み言え！

地域区分局には新たに「クロネコゆうパケット」がもちこまれ、労働者の作業量は激増している。現に会社当局は、全国・地域別に配送する時間に間に合わせるために、パケット区分機を使った区分作業のスピードアップに躍起となり、区分機へのケースの供給作業や区分されたケースのパレットへの積み込み作業を担う労働者の尻をたたきまくっているのだ。

また、地域区分局が受けもつ配達局への区分作業も増大する一途だ。この作業の多くは労働者が手作業で区分しており、ヤマトからもちこまれる「クロネコゆうパケット」が増加するにつれて、作業量が限界を超えるのは時間の問題である。会社当局は口先では「必要な要員は措置する」とは言うものの、〝募集しても集まらない〟と居直り要員不足を放置し、労働者にいっそうの労働強化を強制してのりきろうとしているのだ。

さらに二四年二月には、ヤマトから膨大な「クロネコゆうメール」が地域区分局にもちこまれる。だが会社当局は、これを全国に配送する作業や、配達局に送付する区分作業を、現行人員のままで労働者に押しつけようとしているのだ。「クロネコゆうメール」は大型区分機で区分するが、カタログなどの厚みがあるものは機械に供給することができず、労働者が手区分しなければならない。会社当局は労働者を、配送出発時間に間に合わせるために、区分機へのゆうメールの供給作業や、満杯となったケースの取り出し作業を急がせるとともに、手区分作業を時間内に終えろと馬車馬のように駆りたてるのだ。

ヤマトから到着したトラック便からパレット（ケースが積みこまれた運搬車）を積み降ろしする作業は危険きわまりない。すでに地域区分局には、ヤマトから大量のパレットがもちこまれているが、さらに二四年二月から増加するのだ。重いパレットの積み降ろし・運搬は、労働災害と隣りあわせなのだ。この危険な作業を強いられているのが発着作業に従事する労働者なのだ。

②配達局の労働者も、地域区分局から早朝便で到着するゆうパケットを処理する作業に追いまくられている。労働者はまだ夜も明けきらぬ早朝から出勤し、次々と到着するゆうパケット・レターパック・特定記録郵便など追跡サービス付きの記録系郵便物のバーコードを読み取る到着入力作業を実施する。これを終えるやすぐさま、配達区分して集配部の労働者が作業を開始するまでに交付しろ、と尻をたたかれている。会社当局は、大量に「クロネコゆうパケット」が増加しても、人員が不足した現行の体制のままで時間内に作業を終了させることを厳命しているのだ。

しかも会社当局は、記録系郵便物を、これまで配達エリアごとの「班」別に区分して集配部に交付していたものを、配達担当者ごとの「配達区」別に区分せよと指示している。集配部の「外務作業時間」を一分一秒でも確保するために、これまで集配部が担当していた区分作業を、すべて郵便内務労働者に押しつけたのだ。その結果、要員不足のなかで内務労働者の作業負担は極限まで高まっているのだ。

窓口労働者は、七月から強行された「窓口一体化」によって郵便物の引受作業と不在郵便物の交付作業も少人数で担わされている。ゆうパケット・ゆうメールの激増にともなって「不在持ち戻り郵便物」の交付作業がさらに増加しているのだ。

要員不足のなかで殺人的な労働強化
――集配労働者

郵政経営陣による「クロネコゆうパケット」の委託配達の強行にたいして、全国の集配労働者は「どこまでこき使う気だ！」「もうやっていられない！」と怒りの声をあげている。要員不足のなかで配達作業を強いられている集配労働者にたいしてさらに耐えがたい労働強化が強制されているからだ。

①配達量の増大にたいして経営陣は、配達用バイ

クの荷台の「キャリーボックスにはまだ余裕があり対応可能だ」などとほざいている。いいかげんにしろ！

　現在でもバイクに載せるものの大半は、カタログなどの厚みのある定形外郵便物やゆうパケットなどがしめているのだ。大型のキャリーボックスに詰めても蓋が閉まらないほどで、積載量はギリギリで法定積載量を超える場合もあるほどなのだ。積載量が増えればバイクの重心が上がり、ふらつき転倒の危険が高まるのだ。

　しかし会社当局は、配達物がバイクに積載できない場合は、「郵便局に取りに戻るのではなく配達地域内にあるエリア局(旧特定局)に前送(配達物を四輪で運んでおくこと)して保管し、そこから配達せよ」「四輪との相互応援で対応せよ」と指示している。労働者の危険を顧みず、激増する配達作業を強制しているのだ。

　②配達時間の増大にたいして会社当局は、「ミーティングの簡素化」や「前日の道順組立の実施」などで「配達作業時間を確保しろ」などと指示している。集配労働者が配達するものは、定形郵便物とゆうメールを含む定形外郵便物、対面配達が必要な書留・速達・レターパック、追跡入力作業が必要なゆうパケットや特定記録郵便、さらには料金徴収が必要な代金引換郵便や料金受取人払い郵便、本人確認が必要な本人限定郵便など、多種多様である。これらを一挙に同時に配達する作業は、集配労働者に肉体的にも精神的にも大きな負担を強いるものなのだ。「クロネコゆうパケット」「クロネコゆうメール」の委託配達の増大は、これに拍車をかけるのだ。

　相次ぐ高層マンションの建築や宅地開発にともなう配達箇所の増加にともなってポストに投函できない大型郵便物を部屋まで持参したり、ゆうパケットの増加にともなって不在票を作成して郵便物を持ち戻る件数も増えている。このように配達件数は増加し、むしろ手間と時間を費やす作業が増加している。

　「ミーティングの簡素化」と称して管理者のムダ話を削減したところで〝焼け石に水〟である。配達で疲れ果てて帰局した集配労働者に、さらに翌日の準備のための「道順組立」を強いることも、長時間労働をさらに強制するものでしかない。

また経営陣は、土曜日・日曜日に配達するゆうパケットが飛躍的に増加することの対策として、「曜日別要員配置計画の見直し」を呼号している。彼らは、「土・日の出勤者を増やす」かわりに平日の要員配置を減らすという小細工を弄して、激増する配達作業を現行人員でやらせようとしているのだ。

③同時に経営陣は、「業務提携」にふさわしい「集配体制をつくる」と称して、配達区の見直しを減員をともなうかたちで強行し、また二輪と四輪の一体的な運用（うまく組み合わせて配達効率を上げろ）を軸とする「令和版集配体制の見直し」を全国の集配局に拡大しようとしているのだ。

④経営陣は労務管理強化をエスカレートさせている。彼らは、集配労働者にＧＰＳ機能の付いたスマホ端末を携帯させて、リアルタイムで配達位置を確認している。配達時間を少しでも短縮するために、班長が班員の配達状況を四六時中監視・把握し、作業の進捗状況に応じて即座に相互応援の指示をだすのだ。そのため労働者は、配達作業中にも、「完全配達しろ！」と強要する現場当局の視線を絶えず意識させられているのだ。

また集配労働者は、毎日スマホ端末に一日の作業ごとに費やした時間などをすべて入力させられる。経営陣は、この集積した情報から委託配達実施後の各局の作業量を把握し、これをもとに集配労働者にたいして時間内に配達物数・配達件数を増やして作業効率を上げることを強要しているのだ。「オペレーションをうまく回す」とほざいて労働者を交通事故の危険にさらし、労働強化・労務管理強化を強要する郵政経営陣を断じて許すな！

3 本部の全面協力を弾劾し労働強化・労務管理強化反対の闘いを！

ＪＰ労組本部は、今回の「業務提携」を、「二〇二五年度には一六〇億円程度の営業利益が見込まれる」と手放しで褒めちぎっている。「事業の持続性確保」を掲げる本部は、ヤマト運輸の側から「業務提携」をもちかけたことをヤマトグループの「ポスト配達、薄物分野からの実質的撤退」ととらえ、郵便物減少に歯止めをかけ郵便・物流事業の赤字転落の危機を打開する転機とするために、委託配達の実施に全面協力しているのだ。

しかし全国の職場では、「とうてい作業が追いつかない」「とてもやってられない」「ヤマトの下請けになるのか」という批判・反発が渦巻いている。これにたいして「失敗は許されない」とわめき、経営陣にかわって〝委託配達の成功にむけて仕事に励め〟と号令しているのが、本部労働貴族どもだ。ふざけるな！

本部は「物量が増えても業務混乱を招くような事態を避けなければならない」と称して、経営陣との労使協議に埋没してきた。彼らは、「クロネコゆうパケット」の委託配達の段階的実施計画の策定に協力し、経営陣にたいして「社員のモチベーションアップ」策や、「最新小型・大型区分機およびパケット区分機の配備拡大」などの「意見提言」をおこない経営陣を尻押ししてきたのだ。そのうえさらに

「要員不足解消」策と称して、かんぽコンサルタントの日本郵便への配転や、ヤマト経営陣から首切りを通告された「ネコメイト」を獲得することまでも提言してきた。ヤマト経営陣の大量首切りを容認する本部を弾劾せよ！ そもそも土曜休配（二一年）・送達日数見直し（二二年）で雇止め＝首切りを認めてきたのはいったい誰なのだ。要員不足の片棒を担いできたのは本部労働貴族ではないか。

本部は、組合員の批判・反発を蹴飛ばし、会社の側にたって委託配達によって激増する作業を社員＝組合員の「モチベーションアップ」や生産性向上によってのりきることを提言しているのだ。それは組合員を強欲な会社当局による強搾取の餌食にさしだすことでしかない。

労働組合の側から提起した生産性向上のための「問題提起」とか「提言」が会社に受けいれられるならば、組合員はその施策実現のために社員として身を粉にして働かざるをえない。労働者自身の首を締めつけることになるのだ。こうして労働組合運動がますます会社に従属することによって、組合員の労組への帰属意識の衰退と組合離れが進行するのだ。

全国のたたかう郵政労働者のみなさん！ 郵政経営陣のヤマトとの「業務提携」に全面的に協力するＪＰ労組本部を弾劾し、職場で渦巻く組合員の怒りを結集し、飛躍的な労働強化や労務管理強化に反対する闘いをまきおこそう！ 本部が経営陣に提言する「労働力確保」の欺瞞性を徹底的に暴露せよ！ 彼らは、会社当局が机上で作成した「新たな要員算出標準」なる必要人員数を前提にして「要員不足の解消」を叫んでいるにすぎないのだ。労使協議に埋没する本部を許さず、大幅増員をかちとろう！ 組合員へのいっそうの労働強化の強制によって職場では交通事故や労働災害が多発し、精神疾患などの病休者が続出している。これらの諸問題を組合要求として練りあげ、労働組合を主体にした闘いを職場から創意工夫して粘り強く創造しよう。大量首切り攻撃とたたかうヤマト労働者と連帯してたたかおう！ そして労働組合の戦闘的強化をかちとろう！ わが革命的戦列を強化・拡大し、もって二四春闘の戦闘的爆発をめざしてたたかおうではないか！

Denounce Israel's massive attack on Gaza! Stop the Genocide against Palestinian people!

October 16th, 2023

(1)

The Netanyahu-led government of Israel is ready to command its hundred thousand troops and tanks to rush into the Gaza Strip, where 2.2 million people are living. This murderous regime is about to launch another massacre of Palestinians in Gaza, which has already been destroyed by successive air raids since October 8th.

Israeli forces issued an order to 1.1 million people living in the northern area of the Strip. It said, 'Evacuate to the southern area, otherwise you'll be seen as Hamas combatants.' They showed 'evacuation routes'. But this is only a trick by which Zionists try to dodge worldwide condemnations that press them to 'save citizens from the humanitarian crisis'. Look! Israel's crafty forces are shooting missiles at people passing along the specified route. It is impossible, in the first place, for a million people, including elderly people, sick persons and mothers with infants, to evacuate immediately. The so-called 'evacuation order' is an ultimatum or a declaration of genocide against Palestinians issued by the Zionist regime of Israel.

Shaken by the dauntless cross-border attacks of Hamas, a Muslim organization in Palestine (October 7th), Zionist Netanyahu has launched a massacre of people in Gaza, screaming, 'We'll annihilate Hamas'. This is an attempt to exterminate the self-governing Palestinian territory of Gaza itself as a strong foothold of Palestinian resis-

tance against the Zionist state, together with all the people living there. This is a crazy genocide and nothing else. Don't let him do that!

In the early morning of October 7th, Hamas and other Palestinian armed forces launched more than three thousand rocket bombs all at once into Israeli territories. They destroyed the Netanyahu-built, 60 km long wall for the 'open-air prison', which has confined Palestinians for years, together with its observation posts and high-tech surveillance systems. By blasting holes in the wall and destroying the 'eyes' of Israeli military and security forces, Hamas commanded more than a thousand militias to rush into Israeli territories. They occupied local police offices and assaulted Israeli military fortresses. Armed Palestinian militias thus continued to battle with Israeli forces for four days.

This large-scale offensive frenzied the Zionist government, which was unable to perceive or even expect it beforehand. This government thus launched fiercer aerial attacks on Gaza. Saying 'We are at war', Netanyahu has besieged Gaza with a large army by mobilizing more than 360 thousand reserves. He has cut off the supplies of water, electricity, foods and fuels, which are essential for residents to survive there. Netanyahu is really imposing deaths on Palestinians. Further, the Israeli army is concentrating its bombings on UN facilities and UN-run schools and hospitals, to which people are evacuating for safety. Thus, under the command of Netanyahu, Israeli forces have already murdered thousands of Palestinians in Gaza.

Denounce Israel's all-out offensive on Gaza! Never tolerate this genocide of Palestinians.

(2)

In the middle of the cross-border offensive on October 7th, Hamas militias assaulted not only Israeli soldiers, but also many civilians. At the site of a music festival, they killed many civilians, took a number of people, including women and kids, as hostages and returned to Gaza. Hamas deliberately adopted this hostage-taking tactics in order to take back more than five thousand Palestinians unjustifiably jailed by the Israeli police as political prisoners. (The Hamas leadership announced the number of the hostages is from 200 to 250.) The news is also circulated that Hamas militias assaulted two kibbutzim, murdered

agricultural workers and posted on the Web a movie that showed militias beheading civilians. But some analysts of the Middle Eastern situations say that this movie is a fake. Probably the Israeli authorities circulated such a fake movie in order to depict Hamas as savage terrorists.

Even though Hamas announced that was for the 'Palestinian cause', the act of indiscriminately killing innocent people must be regarded as one that retards the organizing of working people as a class, so that we cannot justify them as far as such an act is concerned.

But we say in the first place: what has driven Hamas into such a fierce battle is the extreme brutalities of the Zionist state of Israel, which has been massacring Palestinians like worms, and the crimes of imperialist rulers, who have openly supported and defended Israel. Palestinians in Gaza have been confined within the 'open-air prison' for sixteen years. Every time they resisted, they were repressed and mercilessly murdered by Zionist troops and police. The latest cross-border battle of Hamas is nothing but an armed uprising of Palestinians driven by their growing anger at Zionist brutalities.

Since the beginning of this century, Israel has repeatedly launched its military attacks on Gaza, sinking Palestinians in seas of blood. Every time Palestinian people rose in anti-Zionist fight, the Zionist state immediately launched far fiercer air raids 'in retaliation', massacring people and imposing food and energy blockades. In May this year, far right Zionists overran the Al-Aqsa Mosque, an Islamic holy place, where Palestinians who attempted to protest it were murdered by Israeli security forces. In the West Bank of the Jordan River, armed Zionists have continually intruded into the Palestinian areas in the name of 'settlement', expelling Palestinians and murdering them with guns and clubs. That is an armed occupation with the name of 'settlement'. Because of this violent 'settlement', the areas under the control of the Palestinian Authority have been trimmed one after another.

Notwithstanding this, imperialist state rulers in America and Europe have tolerated and accepted all the brutalities of the Zionist state, including violent repression and murders, although 'human rights and democracy' is their catchphrase.

What's more, Arab state rulers, who have been supposed to support the 'independence of a Palestinian state' under the banner of the 'Arab cause', are now compromising and colluding with Israel, daz-

zled by its advanced technologies and money. Egypt and Jordan already have diplomatic relations with Israel, which were followed by the UAE and Bahrein; and, at last, even Saudi Arabia, which proclaims itself as the 'leader of the Arab world', has started 'negotiations for diplomatic relations'. The Hamas leadership, based in Gaza, is bitterly indignant at those Arab rulers for their betrayals. They have pent up a sense of crisis that, if things go on like this, Palestinians may be abandoned by the rest of the world, with the road to an independent Palestinian state perishing.

That is why people in Gaza, together with Hamas as their leadership, rose in fierce fight back. They had been enduring desperate situations and quaking in fury for a long time. 'It would be better to go out and meet them than just sitting here waiting to die' must be their resolve. The working class and the toiling masses all over the world must squarely face the life-or-death uprising of Palestinians as their outcry from the depth of grief, as their appeal for the world not to forget Palestinians — even though their battle is accompanied by mistakes — and resolutely stand up in fight.

(3)

Workers, students and toiling people all over the world!

The Zionist power of Israel is about to command its land forces to rush into Gaza. There's no time to lose. Here in Japan, we will create struggles under the banner: Don't allow the Netanyahu government to launch genocide against Palestinian people! Denounce the brutal massacres!

The Biden-led US administration has deployed its two aircraft carrier groups to the Mediterranean, thus giving military support to the Zionist state. Biden is stepping up military intimidation against Iran, which he regards as a strong backer for Hamas. Don't allow US imperialism to launch a military intervention!

We appeal to Muslim people around the Middle East and the whole Islamic world, and to all the toiling people of the world. Rise in a fight to stop the Israeli army's attacks on Gaza!

This October marked the fiftieth anniversary of the Fourth Middle East War (in October, 1973), when Egypt and Syria launched an armed offensive with the aim of regaining the Sinai Peninsula and the

Golan Heights from the occupier Israel. On this anniversary, Hamas carried out an armed battle against the Zionist power. This in itself bespeaks their revolt against Arab rulers, most of whom have abandoned the 'Arab cause' and approached the Zionist regime. Denounce Arab rulers for colluding with the Zionist regime that is continuing to massacre Palestinians!

We appeal to the working people in Israel. Stop the Netanyahu government from continuing the war of genocide against Palestinians! Rise in a battle to topple this government!

We must fight at the same time to further develop the Ukraine antiwar struggle in Japan.

It is a year and eight months since Putin's Russia started aggression against Ukraine. The battle of Ukrainian people to drive back the invading Russian army from the land of Ukraine is now faced with grave difficulties.

In the United States, the Trump-led Republicans are pressing the Biden-led Democratic administration to cut off military aid for Ukraine. Under this pressure, Biden is surely moving to reduce, or end, military support to Ukraine under the pretext of 'increasing military aid for Israel'.

Perceiving this move of the US, Russian ruler Vladimir Putin is gloating. He said 'Ukraine would die in a week if Western military aid stops.'

Ukrainian people's fight to crush the Russian aggression is now facing a critical juncture. Along with struggles against Israel's aggression against Palestine, we must fight all-out for a worldwide upsurge in the Ukraine antiwar struggle.

Workers, students and toiling people all over the world!

At this very moment in time, the Netanyahu-led Israeli government is continuing to massacre Palestinians. Don't allow this Zionist regime to continue genocide. Let us create antiwar struggles all over the world!

国際・国内の階級情勢と革命的左翼の闘いの記録（二〇二三年十月～十一月）

国際情勢

10・3 米下院で共和党強硬派議員提出の議長マッカーシー（共和党）解任動議を史上初めて可決

10・5 ウクライナ・ハルキウ州の戦死者追悼会場をロシア軍がミサイル攻撃、52人以上死亡

▽バイデンがメキシコ国境に32キロメートルの壁を新設と発表

10・7 **ハマスの武装部隊がガザからイスラエルに越境攻撃し軍事拠点を粉砕、数千発のロケット弾発射。イスラエルのネタニヤフが「戦争」を宣言、空爆を開始**

10・8 **バイデンがネタニヤフと電話会談、「イスラエルの自衛権」を支持。原子力空母を東地中海に派遣**

▽中国外務省がハマスとイスラエルに「停戦」を求める

10・9 米英独仏伊が電話協議、イスラエル支持を表明

10・10 イラン指導者ハメネイがハマスの攻撃を称賛

10・11 イスラエルで挙国一致の「戦時内閣」発足

▽ゼレンスキーがNATO本部訪問、支援継続を訴え

10・12 イスラエル軍がガザ住民に南部退避を通告

10・13 **イスラエル軍がガザ地上侵攻開始**

10・15 **EU27ヵ国首脳がイスラエル支持の共同声明**

▽米国務長官ブリンケンがエジプト大統領シシと会談しラファ検問所の開放を要請。シシは拒否

10・17 **イスラエルがガザ北部の病院空爆、471人虐殺。世界各地に抗議デモ広がる**

▽ドイツ首相ショルツがイスラエル訪問、自衛権承認

10・18 プーチンが「一帯一路」フォーラムに合わせ訪中し習近平と会談、「中露関係は長久の策」と確認

国内情勢

10・3 ニューヨーク外為市場で1年ぶりに一時1ドル＝150円台の円安に

▽経済産業省が米マイクロン・テクノロジーの広島工場に最大で1920億円を助成

10・4 辺野古軟弱地盤埋め立て工事に必要な設計変更申請を承認せよ、と求めた国の「指示」に沖縄県知事・玉城デニーが拒否の回答

▽横須賀労働基準監督署が「アマゾン」フリーランス運転手のけがを労働災害と認定

▽防衛相・木原稔が訪米し国防長官オースティンと「トマホーク」取得を25年度に前倒し確認

▽海自と海保が秋田県沖で共同訓練を実施

10・5 **国土交通相・斉藤鉄夫が辺野古埋め立ての設計変更申請を承認する「代執行」強行を命じる判決を求め福岡高裁那覇支部に提訴**

▽首相・岸田文雄が「連合」定期大会に出席

▽東電が福島原発汚染水の2回目の海洋放出

10・6 「連合」大会で会長・芳野友子の再任決定

▽日本維新の会が役員会で訪露した鈴木宗男の除名を協議。鈴木が離党届（10日）

10・10 防衛相・木原が26年配備予定の国産長距離ミサイル配備1年前倒しを指示

▽23年度4～9月期の企業倒産件数が4324件、4000件超は4年ぶり

10・11 自民党・萩生田が台湾で蔡英文と会談

革命的左翼の闘い

10・3 全学連が第93回定期全国大会

10・7 **琉球大学学生会と沖縄国際大学学生自治会が辺野古現地で「大浦湾埋め立て・代執行阻止」闘争**（主催・オール沖縄会議）**を900名の先頭でたたかう**

▽鹿児島大学共通教育学生自治会が「レゾリュート・ドラゴン23阻止」えびの市現地闘争（主催・日米共同訓練反対宮崎・鹿児島連絡会議）に決起

10・9 泊原発再稼働反対の集会・デモ（主催・さようなら原発実行委、札幌市）でたたかう労学が奮闘、わが同盟が情宣

10・12 琉大学生会・沖国大自治会が「レゾリュート・ドラゴン反対！市民集会」（沖縄市）に決起。愛大学生自治会役員3名の「退学処分」撤回も訴える

10・15 **首都・関西・沖縄で労学統一行動。「イスラエルのガザ攻撃弾劾！〈プーチンの戦争〉を打ち砕け！大軍拡・改憲阻止」を掲げ各地で戦闘的デモ**

10・20 「レゾリュート・ドラゴン」の弾薬輸送訓練阻止闘争を琉大・沖国大のたたかう学生が牽引、ホワイトビーチ（うるま市）・嘉手納弾薬庫前で実力闘争

▽全学連がイスラエル大使館にパレスチ

▽ヨルダン川西岸でパレスチナ人がガザ攻撃に抗議、イスラエル軍と入植者がパレスチナ人5人を射殺
▽バイデンがイスラエルを訪れ全面支持を表明
▽国連安保理でイスラエルとハマスの「戦闘中断」を求めたブラジルの決議案にアメリカが拒否権を行使
▽イスラム協力機構57ヵ国がサウジで緊急外相会合、「イスラエルの侵攻即時停止」を求める共同声明
▽米で「平和のためのユダヤ人の声」が連邦議会議事堂を占拠しガザ即時停戦を訴える。300人逮捕
10・19　米空軍戦略爆撃機B52Hを韓国空軍基地で公開
▽英首相スナクがイスラエル訪問、ガザ攻撃を支持
▽訪朝したロシア外相ラブロフが金正恩と会談。正恩が「新時代の朝露関係の百年の大計構築」と表明
10・20　国連事務総長グテレスがラファ検問所を訪れ即時開通を求める。支援物資がガザに入る（21日）
▽ハマスがカタールの仲介で人質解放を開始。イスラエルの燃料搬入拒否で中断（23日）
10・22　南シナ海のアユンギン礁沖合で中国海警局船がフィリピン軍が契約した補給船に体当たり
10・24　中国国家主席・習近平が国防相・李尚福を解任
10・25　米下院で新議長に親トランプのジョンソン選出
▽中国不動産大手・碧桂園がドル建て社債デフォルト
10・26　国連安保理で米提出のガザ戦闘中断決議案に中・露が拒否権、露提出の停戦決議案に米が拒否権。総会でヨルダン提出の人道的休戦決議案採決（27日）
▽スロバキア新政権がウクライナへの武器供与を停止
10・27　イスラエル軍がガザへの全面的地上侵攻に突入
▽中国前首相・李克強急死。「心臓発作」とのみ発表
10・29　ロシア・ダゲスタン共和国の首都マハチカラの

10・12　文部科学相・盛山正仁が統一協会にたいする解散命令を東京地裁に請求と発表
10・17　岸田が靖国神社に真榊奉納、経済再生担当相・新藤、経済安保担当相・高市が参拝
▽米英日など13ヵ国がサイバー対策強化の国際協力の枠組みを発足
10・19　**「連合」が24春闘の賃上げ要求基準として「定昇込み5％以上」とする超低率基本構想**
10・22　衆参補欠選挙投開票。自民党が参院高知・徳島選挙区で敗北、衆院長崎4区で辛勝
10・23　首相・岸田が臨時国会所信表明演説で「経済、経済、経済」と連呼、改憲を強調
▽「全労連」が24春闘で10％以上の賃上げ目標
10・30　沖縄県知事・玉城が「代執行訴訟」の口頭弁論で「代執行は容認できない」と陳述
10・31　自民党衆議院議員・柿沢未途が江東区長選で違法の有料ネット広告利用を前区長・木村弥生に提案したとして法務副大臣を辞任
▽防衛省が「防衛産業へのスタートアップ活用に向けた合同推進会」を開催、「日本版DARPA（防衛高等研究企画庁）」24年創設の準備
▽日銀が長期金利の1％超えを容認
11・1　**原子力規制委員会が九州電力川内原発1、2号機の60年までの運転延長を認める**
11・2　政府が1人4万円の定額減税、非課税世帯への1世帯7万円給付などを盛りこんだ総額17兆円規模の総合経済対策を閣議決定
11・3　**岸田がフィリピンでマルコスと会談、O**

ナ人民大虐殺弾劾の怒りの抗議闘争
▽福岡反戦青年委員会が在福岡米領事館にガザ攻撃弾劾の拳
10・21　神戸大生の会と奈良女子大学学生自治会が「とめよう！戦争への道　関西の集い」（大阪市）に結集、「ガザ総攻撃を許すな」と訴える
▽琉大・沖国大の学生が「遺骨の眠る土砂を埋め立てに使わせない県民集会」（主催・オール沖縄会議、糸満市）で奮闘
▽革マル派北陸地方委員会が香林坊で「ガザ総攻撃を許すな」と情宣
10・22　**北海道・東海・九州の各地で労学統一行動。「ガザ総攻撃阻止」の雄叫び**
10・28　沖縄県学連・県反戦が「大浦湾埋め立て阻止」緊急海上抗議集会で奮闘
10・30　全学連道共闘と反戦青年委が在札幌米総領事館にガザ地上侵攻弾劾の拳
▽琉大学生会と沖国大自治会が米総領事館前でガザ人民虐殺を弾劾（浦添市）
▽福岡反戦青年委が米領事館に抗議
11・2　わが同盟が「連合石川秋期年末闘争勝利！決起集会」（金沢市）で情宣
11・3　**全学連がイスラエル大使館にガザ地上侵攻・大虐殺弾劾の抗議闘争**
▽首都圏のたたかう学生が国会前「憲法大行動」（主催・総がかり行動実行委）で「イスラエルのガザ人民虐殺弾

空港で到着したイスラエル機にムスリム人民が抗議

▽全米自動車労組（UAW）がスト勝利宣言。25％賃上げ、物価スライド制復活などで大手3社と合意

10・31 **イスラエル軍がガザのジャバリヤ難民キャンプを200キロ爆弾で空爆、2日で195人虐殺、不明者多数**

▽ボリビアがイスラエルとの国交断絶を表明。チリとコロンビアは大使を召還

11・2 プーチンがCTBT批准撤回法案に署名、発効

11・3 イスラエル軍がシファ病院の救急車を空爆、15人死亡。ジャバリヤ難民キャンプの学校も（4日）

11・5 イラン最高指導者ハメネイがハマス政治局長ハニヤと会見、恒久支援を約束

▽イスラエル閣僚が「ガザに原爆使用も選択肢」と発言

11・8 G7外相会合（7日〜、東京）。「ハマス非難・イスラエルの自衛権行使容認」の共同声明

▽フーシ派が米軍無人偵察機MQ9を紅海上空で撃墜

▽全米映画俳優組合が報酬引上げとAI規制かちとる

11・10 米・インド2＋2をニューデリーで開催、安保協力の強化、装甲車の共同生産などを確認

11・11 **アラブ連盟とイスラム協力機構が合同首脳会議（リヤド）でイスラエルを非難**

11・13 インドネシア大統領ジョコが訪米しバイデンに「イスラエルの残虐行為を止める努力」を要請

11・14 **米下院がウクライナ、イスラエルへの支援を盛りこまない「つなぎ予算」案可決、24年2月2日まで**

11・15 **習近平が訪米しバイデンと会談、「偶発的衝突回避」確認。習曰く「地球は両国が共存できるほど広い」**

▽APEC首脳会議がアメリカで開幕（〜17日）。首

SAを初適用し警備艇やレーダー供与を合意

▽外相・上川陽子がイスラエル・パレスチナを歴訪、イスラエル全面支持をうちだす

11・5 岸田がマレーシアで首相アンワルと会談し安全保障協力や経済連携の深化を合意

11・6 UAゼンセンが来春闘の賃上げ目標を「6％基準」とする方針案を示す

11・7 在沖米軍幹部が辺野古新基地完成は37年、普天間基地の方が優位性が高いと明言

▽日英2＋2（東京）、共同訓練拡大など合意

▽統一協会会長・田中富弘が献金問題で「謝罪ではないおわび」と100億円の「供託」を表明

▽国立大学法人法改定案が衆議院で審議入り。一定規模以上の国立大の運営方針を決定する外部有識者を加えた合議体設置を義務づける

▽9月の実質賃金が2・4％減（前年同月比）18ヵ月連続減

11・9 「連合」芳野が立憲民主党代表らに「日共に支援される候補者は推薦しない」と通告

11・13 税金滞納の財務副大臣・神田憲次を岸田が更迭。内閣改造後の政務三役辞任は3人目

▽日共10中総に提出の来年1月党大会に諮る「決議案」に「野党連合政権」の文言なし、提出者は志位ではなく副委員長・田村智子

11・15 7〜9月期GDP速報値が前期比0・5％減、年率換算2・1％減、減は3四半期ぶり

▽沖縄に米海兵隊新部隊「第12海兵沿岸連隊」を創設、自衛隊との統合強化

11・17 米政府が日本へのトマホークミサイルの

効、大軍拡・改憲阻止」を訴える／「大阪総がかり行動」で神戸大・奈良女子大の学生が奮闘／金沢大共通教育学生自治会が護憲集会に決起／福岡「憲法フェスタ」でわが同盟が情宣

11・5 琉大学生会・沖国大自治会がたたかう労働者と連帯し「国による代執行を許さない！県民大集会」（主催・オール沖縄会議、北谷町）で奮闘

11・5、10 首都圏のたたかう学生が「パレスチナに平和を！緊急行動」（5日・銀座、10日・渋谷）に参加

11・8 全学連がイスラエル大使館・米大使館に「ガザ人民ジェノサイド弾劾・G7外相会合反対」の戦闘的デモ

11・10 琉大学生会と沖国大自治会が労働者と共に中城湾港・勝連分屯地・白川分屯地で「自衛隊統合演習」実力阻止闘争

11・11 神戸大と奈良女子大の学生が在神戸イスラエル名誉領事館に抗議

11・12 愛知大・名古屋大の学生が「イスラエルは虐殺をやめろ！デモ」（主催・BDS名古屋など）に参加しパレスチナ人らと連帯。愛大当局の退学処分を許すなと訴える。わが同盟が情宣

11・17 首都圏の学生がイスラエル大使館前の「Stop! Genocide Youth Action」（主催・総がかり行動実行委）に結集

▽全学連が国立大学法人法改悪案の衆院

脳宣言はウクライナ、パレスチナに言及せず
▽国連安保理がイスラエルとハマスに「人道的休止」を求めるマルタ案を決議。米英露は棄権
▽**イスラエル軍がシファ病院に突入、「ハマスの司令部」をデッチあげ。院長が「集中治療室の患者全員を失った」「病院は巨大な集団墓地」と弾劾**（17日）
▽ミャンマー反軍政「兄弟同盟」3勢力が「民主派」と共闘し全土で攻勢。北東部などで国軍拠点を占拠
▽ベルリンで独トルコ首脳会談。エルドアンの「イスラエルはファシズム」の言にショルツは「馬鹿げてる」
11・19 イスラエルの富豪が所有し日本郵船が運航する貨物船をイエメンのフーシ派が紅海上で拿捕
▽アルゼンチン大統領選決選投票で極右のミレイ当選
11・20 イスラエルがガザ北部インドネシア病院を攻撃
11・21 北朝鮮が「軍事偵察衛星打ち上げ成功」と発表
▽BRICS5ヵ国が「ガザ即時停戦」を求める
11・22 イスラエルとハマスがカタールの仲介で4日間戦闘休止。人質と収容者の相互解放が始まる(24日)
▽オランダ下院総選挙で極右の「自由党」が第1党に
11・24 台湾総統選挙で野党候補者一本化交渉が決裂
11・25 露軍がホロドモール追悼日にキーウを猛攻撃
11・27 イスラエルとハマスが戦闘休止延長、30日まで
11・29 米連邦検察がインド政府の指示で米国在住のシーク教徒独立運動家を殺害しようとした男を起訴
11・30 OPECプラスが有志国の自主減産を承認
▽アルゼンチンのミレイ次期政権がBRICSへの同国の加盟を否定
▽フィンランドがロシアとの国境を完全封鎖

最大400発売却を承認
11・19 **自民党5派閥がパーティー収入4000万円を政治資金収支報告書に不記載との容疑で東京地検特捜部が事務担当者に聴取と判明**
11・21 岸田内閣支持率、朝日25%、毎日21%、読売24%。自民党の政権復帰後最低
11・22 東芝の臨時株主総会で株式上場廃止決定
11・23 韓国ソウル高裁が元慰安婦16人の日本政府にたいする損賠請求を認める逆転判決下す
11・26 日・韓・中3国外相会談（釜山）。3国の首脳会談早期開催を確認
11・27 政府が全国14の空港と24の港湾施設を有事用に整備・強化する候補地に選定との報道
11・28 厚生労働省発表の今年の賃上げ率は定昇込みで3・2%、消費者物価上昇率7・9%
▽日銀の9月中間決算で国債の含み損が10・5兆円、過去最高額
11・29 米軍横田基地所属のオスプレイが屋久島沖上空で墜落、8人死亡
▽沖縄県知事・玉城がオスプレイの即時飛行中止を要求。米国防総省副報道官が飛行を継続すると言明（30日）
▽13・2兆円規模の補正予算案が参院で可決・成立、財源の7割が国債
11・30 名古屋高裁が13年から15年の生活保護費引き下げの厚労省決定を取り消し・賠償命令
▽国民民主党の前原誠司ら4人が同党を離党し「非自民・非共産」の新党結成と発表

文部科学委員会採決弾劾の国会前闘争
11・18 関西の学生が「ガザ侵攻を止めろ! 緊急アクション」で奮闘（大阪市）
11・19 全学連道共闘と反戦青年委がイスラエルのガザ人民大虐殺と支援する米バイデン政権を弾劾し在札幌米総領事館に緊急抗議闘争
▽名大・愛大の学生が「あいち総がかり行動」と「ガザ緊急アクションなごや」に結集(名古屋市)。名大生の発言に共感
11・23 琉大・沖国大と鹿児島大・金沢大・国学院大のたたかう学生が、ミサイル部隊配備反対・辺野古新基地建設反対「県民平和大集会」（主催・沖縄を再び戦場にさせない県民の会、那覇市）で＜基地撤去・安保破棄＞を掲げ奮闘。わが同盟が1万人の参加者に戦闘的檄
▽首都圏のたたかう学生が「沖縄も日本も戦場にさせるな! 国会正門前アクション」（主催・実行委）に決起
▽神戸大生が「沖縄県民大会同時集会inおおさか」に起つ
▽「原発止めろ! 北海道学生連帯会議」が「幌延デー北海道集会」で奮闘
11・29 首都圏の学生が「パレスチナに平和を! 緊急新宿デモ」に参加
▽関西の学生が在大阪・神戸アメリカ総領事館前の「緊急アクション」に結集

『新世紀』バックナンバー

No.328 2024年1月
パレスチナ人民ジェノサイドを許すな
イスラエルのガザ攻撃弾劾／革マル派結成60周年9・24革共同集会／熱核戦争勃発の危機を突き破れ／灼熱化する地球／愛大生・名大生への不当捜索弾劾／関西労働者の逮捕弾劾／職務給導入／電機連合・自治労・自治労連・全印総連

No.327 2023年11月
米日韓核軍事同盟の強化を許すな
8・6国際反戦集会の大高揚／海外からのメッセージ／プリゴジン暗殺の深層／印の戦略的自律外交／米中半導体戦争／放射能汚染水の海洋放出弾劾／続発するマイナカード関連トラブル／そごう・西武スト／給特法撤廃をかちとれ

No.326 2023年9月
ワグネルの反乱　揺らぐロシア支配体制
ネオ・ファシズム政権打倒／反戦反安保・改憲阻止／反動諸法制定弾劾／岸田「新しい資本主義」／DXと大失業／生成AI／コロナ「五類」／海外への反戦アピール／日共の四分五裂／JP低額妥結を否決せよ／トヨタサプライチェーン

No.325 2023年7月
憲法改悪・大軍拡阻止に起て
G7サミット反対【新入生は今こそ起て／ウクライナ侵略反対Q&A】ウクライナの左翼と連帯／改憲阻止・プーチンの戦争粉砕【特集23春闘】『連合白書』批判／「全労連」指導部弾劾／私鉄・トヨタ・JAM・NTT・出版・郵政

新世紀　第329号（隔月刊）

日本革命的共産主義者同盟　革命的マルクス主義派　機関誌©

発行日　2024年2月10日
発行所　解　放　社
〒162-0041　東京都新宿区早稲田鶴巻町525-3
電話　03-3207-1261　　振替　00190-6-742836
URL http://www.jrcl.org/
発売元　有限会社　ＫＫ書房
〒162-0041　東京都新宿区早稲田鶴巻町525-5-101
電話　03-5292-1210　　振替　00180-7-146431
URL http://www.kk-shobo.co.jp/

ＩＳＢＮ 978-4-89989-329-5　　C0030

落丁・乱丁本はおとりかえいたします。